Sébastien Aubotte

L'ODYSSÉE
est le trente cinquième ouvrage
publié chez
Dramaturges Éditeurs

Dramaturges Éditeurs
4401, rue Parthenais
Montréal (Québec) H2H 2G6
Téléphones : (514) 527-7226 et (514) 849-9238
Télécopieur : (514) 527-0174
Courriel : info@dramaturges.qc.ca
Site internet : www.dramaturges.qc.ca
Yvan Bienvenue et Claude Champagne

Mise en pages : Claude Champagne
Correction des épreuves : Claude Champagne
Maquette de la couverture : Yvan Bienvenue

Dramaturges Éditeurs bénéficie d'une subvention du Conseil des Arts du Canada.

Dépôt légal : troisème trimestre 2000
Bibliothèque nationale du Québec
Bibliothèque nationale du Canada

ISBN 2-92218-234-7

Dominic Champagne et Alexis Martin

L'ODYSSÉE

d'après Homère

Dramaturges Éditeurs

AUSSI CHEZ DRAMATURGES ÉDITEURS

38 (cinq tomes : *A, E, I, U, O*), Collectif
Jusqu'au Colorado, de Jérôme Labbé
Chrysanthème, de Eugene Lion
Une tache sur la lune, de Marie-Line Laplante
Les Zurbains, Collectif
Dits et inédits, de Yvan Bienvenue
Maître Chat, de Marie-Renée Charest
Game, de Yves Bélanger
La Raccourcie, de Jean-Rock Gaudreault
Le Mutant, de Raymond Villeneuve
Les Huit péchés capitaux, Collectif
Motel Hélène, de Serge Boucher
La Terre tourne rondement, de Marie-Line Laplante
Le défilé des canards dorés, de Hélène Mercier
Le bain des raines, de Olivier Choinière
Nocturne, de Pan Bouyoucas
Barbe-Bleue, de Isabelle Cauchy
Nuit de chasse, de Micheline Parent
La nuit où il s'est mis à chanter, de Claude Champagne
Couteau, de Isabelle Hubert (coédité avec les Éditions Lansman)
Le soir de la dernière, de Isabelle Doré
L'Humoriste, de Claude Champagne
Laguna Beach, de Raymond Villeneuve
Le lit de mort, de Yvan Bienvenue
24 poses, de Serge Boucher
Antarktikos, de David Young
Untempsdechien / Piégés, de Alex Johnston / Pól Mag Uidhir
Code 99, de François Archambault
Les enfants d'Irène, de Claude Poissant
Les vieux ne courent pas les rues, de Jean-Pierre Boucher

Personnages

Ulysse
Pénélope
Laërte, père d'Ulysse
Phémios, aède du palais
Poséïdon, dieu de la mer
Alkinoos, roi des Phéaciens
Polyphème, le Cyclope
Éole, dieu des vents
Tirésias, devin aveugle
Eumée, divin porcher
Télémaque
Athéna, déesse de la sagesse
Euryclée, suivante de Pénélope
Mélantho, servante de Pénélope
Calypso, nymphe d'Ogygie
Nausicaa, fille d'Alkinoos
Circé, déesse d'Aïaïa
Anticlée, mère d'Ulysse
Les Prétendants
Eurymaque
Antinoos
Amphinomos
Liodès
Iros
Les Compagnons D'Ulysse
Périmède
Euryloque
Politès
Elpénor
Anticloos
Pénos

Décor

Une chambre d'hotel étrange, pauvre et vulgaire donnant sur une nuit où il neige.
Autour de la chambre, une longue étendue d'eau vineuse.
Ulysse est assis, les pieds dans l'eau.
Laerte, poète aveugle, est à boire une bouteille de mauvais vin.

La première représentation publique de L'Odyssée a eu lieu le 13 janvier 2000 au Centre National des Arts, à Ottawa.

Mise en scène : Dominic Champagne
Assistance à la mise en scène : Julie Beauséjour

Musique : Pierre Benoit

Distribution
François Papineau : Ulysse
Pierre Lebeau : Laërte
Dominique Quesnel : Pénélope et Anticlée
Julie Castonguay : Athéna
Jean-Robert Bourdages : Liodès et Elpénor
Michel-André Cardin : Amphinomos et Politès
Henri Chassé : Eurymaque et Anticloos
Guillaume Chouinard : Télémaque et Pénos
Éric Forget : Iros et Périmède
Norman Helms : Antinoos et Euryloque
Jacinthe Lagüe : Mélantho, Calypso et Nausicaa
Sylvie Moreau : Euryclée et Circé

Musiciens : André Barnard, Pierre Benoit et Ludovic Bonnier
Scénographie : Stéphane Roy
Costumes : Linda Brunelle
Images : Francis Laporte
Lumières : Michel Beaulieu
Accessoires : Lucie Thériault
Chorégraphies de combat : Réal Bossé
Assistant aux chorégraphies de combat : Claude Despins
Sons : Marco Navratil

Direction technique : Benoît Panaccio
Direction de production : Pierre Dufour
Régie sonore : Eddy Friedmann

Une coproduction du Théâtre il va sans dire, du Théâtre du Nouveau Monde et du Théâtre Français du Centre National des Arts

"Tu dis : «J'irai vers d'autres pays, vers d'autres rivages. Je finirai bien pas trouver une autre ville, meilleure que celle-ci, où chacune de mes tentatives est condamnée d'avance, où mon cœur est enseveli comme un mort. Jusqu'à quand mon esprit restera-t-il dans ce marasme? Où que je me tourne, où que je regarde, je vois ici les ruines de ma vie, cette vie que j'ai gâchée et gaspillée pendant tant d'années.»

Tu ne trouveras pas de nouveaux pays, tu ne découvriras pas de nouveaux rivages. La ville te suivra. Tu traîneras dans les mêmes rues, tu vieilliras dans les mêmes quartiers, et tes cheveux blanchiront dans les mêmes maisons. Où que tu ailles, tu débarqueras dans cette même ville. Il n'existe pour toi ni bateau ni route qui puisse te conduire ailleurs. N'espère rien. Tu as gâché ta vie dans le monde entier, tout comme tu l'as gâchée dans ce petit coin de terre."

Constantin Cavafy

Scène 1 – Prologue – Laërte

Laërte s'allume une cigarette et boit une gorgée.

LAËRTE

Muse, Muse, ô Muse, fille de la mémoire
Muse
Dans cette nuit de cendres
Où je me suis abîmé
Sois ma voix pour raconter
Les corps expirants des héros
Dont les paroles s'envolent
Pour mourir dans le vent de l'oubli

Sois ma voix
Pour conter l'histoire de l'homme
Qui erre aujourd'hui misérablement
Sur la mer de toutes les nostalgies

Que je redonne
À ce qui est révolu
La forme du poème vivant

Que je dise
L'histoire de l'homme qui a connu les hommes
Marcheur hébété des chemins de la guerre
Arpenteur des forêts insondables
Nautonier des ciels sans constellations

Entends-tu tomber mes larmes, ô Muse!
Frappant le sol de ma chambre
Comme les rames frappent l'onde en cadence!
Mémoire!

CHANT DU CHŒUR DES FEMMES

... η φευγειν οζ κεν τανατον και κηραζ αλυξη
αλλα τιν ου φευξεσθαι οιμαι αιπυν ολεθρον

(Chant 22, vers 66...)

LAËRTE

Sois bonne et prodigue
Pour tes fils dispersés
Sois leur consolation!

Et donne-moi en mire ce pays
Où sommeillent encore les joies de l'enfance
Oui... Je me souviens...

Entrent Mélantho et Euryclée.

LAËRTE

Ithaque
C'était à Ithaque

Laërte devient Phémios.

LAËRTE

La nuit était douce, le festin abondant

Entrent Télémaque et les prétendants, leur verre à la main.

LAËRTE

Mais dans les murs du palais
Debout dans l'ombre près d'un poète aveugle
Au milieu des sarcasmes
Un fils humilié enrageait
Meurtri par l'absence de son père

Scène 2 – Télémaque et les prétendants

TÉLÉMAQUE

Ah, s'il revenait
Et s'il vous voyait
Vautrés dans son palais
À gaspiller ses richesses
À immoler ses bêtes
À boire son vin
À outrager ses servantes
Et à harceler sa femme

ANTINOOS

S'il revenait, oui, quoi?
Parle, morveux!
Que ferait-il, ton père?

TÉLÉMAQUE

Il vous écraserait tous
Et vous tuerait l'un après l'autre
Jusqu'au dernier!

ANTINOOS

Encore faudrait-il qu'il soit vivant!

Rires des prétendants.

TÉLÉMAQUE
Il est vivant!

EURYMAQUE
C'est un malheur
Mais les dieux en ont jugé autrement
Et il est mort
Celui qui fut un jour le héros de son pays

TÉLÉMAQUE
Rien ne le prouve

AMPHINOMOS
Il faudra bien que tu finisses par entendre raison
Tous ceux qui se sont battus à Troie sont rentrés

TÉLÉMAQUE
Lui aussi rentrera

LIODÈS
Mais peut-être s'est-il perdu en mer?
Ou peut-être a-t-il simplement choisi de ne pas rentrer?

AMPHINOMOS
Oui, peut-être a-t-il conquis un autre royaume?

IROS
Ou peut-être est-il trop lâche pour revenir?

EURYMAQUE
Oui, peut-être a-t-il choisi de vous abandonner, toi et ta mère?

ANTINOOS
Oui! Peut-être s'est-il entiché d'une déesse
Dont la main experte sait y faire au lit
Mieux que Pénélope

LIODÈS

Non!

Les prétendants éclatent de rire.

TÉLÉMAQUE

Non!
Quand il reviendra
Il vous jettera dehors comme des chiens

LES PRÉTENDANTS

Oh!

EURYMAQUE

Personne ici n'est venu pour te voler
Alors cesse de nous insulter!

TÉLÉMAQUE

Je ne vous insulte pas
Je vous rends seulement ce qui vous est dû

EURYMAQUE

Si tu veux remettre de l'ordre dans ta maison
Monte voir ta mère à sa chambre!
Et dis-lui que le temps est venu pour elle de se remarier

LIODÈS

C'est elle la cause de tes malheurs!
Ta propre mère

EURYMAQUE

Depuis des années qu'elle se moque de nous
Avec le prétendu linceul que chaque jour

Elle fait semblant de tisser!
Chaque jour elle nous prédit la fin de son ouvrage
Et nous jure qu'alors elle choisira un nouveau roi pour notre pays!
Mais nous savons que chaque nuit
À la lumière des torches
Comme une araignée prise à son propre piège
Elle défait chaque fil de sa toile

LIODÈS
Pour nous leurrer!

EURYCLÉE
Chienne!

MÉLANTHO, *hurlant*
Ah!

ANTINOOS
Laisse, la vieille
Débarrasse-nous de ta présence!

EURYMAQUE
Allons petit
Monte voir ta mère
Et dis-lui que nous avons assez attendu
Et que personne ici ne rentrera chez lui
Avant qu'elle n'ait choisi

ANTINOOS
Et dis-lui que si elle tarde trop
Nous aurons bientôt fini de tout dévorer

Rires des prétendants.

TÉLÉMAQUE
Eh bien dévorez tout oui!
Mais laissez ma mère tranquille!
Pour moi je prierai les dieux
Qu'ils fassent arriver la justice
En cette maison

ANTINOOS
Et même s'il revenait Ulysse

ANTINOOS
S'il débarquait, ici même, en personne
Pour débarrasser le palais
De tous ceux qui mangent à sa table?
Ta mère déchanterait vite, petit

TÉLÉMAQUE
Et pourquoi?

ANTINOOS
Parce que c'est un mort
Que ses lèvres embrasseraient!

Rires des prétendants.

TÉLÉMAQUE
Toi, c'est maintenant que la mort va te prendre

Télémaque bondit sur Antinoos.

MÉLANTHO, *hurlant*

Ah!

ANTINOOS
Allez, vas-y, tue-moi, petit veau
Allez! Viens!

LIODÈS
Vas-y, tue -le!

EURYMAQUE
Mais si tu attaques
Tu leur donnes le prétexte qu'ils attendent tous
Pour te tuer

AMPHINOMOS
Nous ne te voulons aucun mal, Télémaque
Nous voulons seulement obéir à la coutume du pays!

TÉLÉMAQUE
Maudite soit la coutume de ce pays!

Scène 3 – Pénélope

Entre Pénélope.

PÉNÉLOPE
Télémaque, ces hommes sont porteurs de présents

TÉLÉMAQUE
Mère, je t'en prie, renvoie-les de notre maison!

PÉNÉLOPE
La coutume veut que je les reçoive
Et je les reçois

EURYMAQUE
Ah, Pénélope
Si tous les hommes de la terre te voyaient
C'est par milliers qu'ils viendraient se prosterner à tes pieds
Toi la plus belle et la plus sage de toutes les reines

PÉNÉLOPE
La sagesse et la beauté, les dieux m'ont tout enlevé
Quand ils ont éloigné Ulysse de cette maison

EURYMAQUE
Mais le temps n'est-il pas venu d'accepter sa mort
Pour renouer avec la vie?

PÉNÉLOPE
Qui ici m'a apporté une preuve de sa mort?

EURYMAQUE
Vingt ans ont passé, ma reine
Vingt ans, d'une longue et pénible attente
D'interminables nuits de veille

PÉNÉLOPE
Ma douleur ne prouve pas
Que le roi de ce pays soit mort

EURYMAQUE
Serait-elle le signe de ton désœuvrement?
Comme l'est cet ouvrage que tu t'entêtes à ne pas achever...

PÉNÉLOPE
Tu parles beaucoup, Eurymaque

EURYMAQUE
Et je saurai bien gouverner ton royaume

PÉNÉLOPE
Chaque chose en son temps
Pour l'heure qu'on leur serve à boire et à manger
Comme il se doit
Et après qu'ils partent
Comme il se doit aussi
Quand on a été reçu avec les honneurs prescrits

ANTINOOS
Attends, Pénélope, attends!
Regarde, je t'ai apporté du vin
De ce vin doux qui enflamme le sang des amants

PÉNÉLOPE
Tu es saoul, Antinoos

ANTINOOS
Oui, oui...
Mais aie pitié de moi
Et ne me torture pas en me laissant là
Seul avec mon ivresse

Les prétendants rient. Pénélope sort.

ANTINOOS
Femme! Verse encore
Et soulage-moi de ma peine

Mélantho apporte du vin à Antinoos qui l'embrasse.

EURYMAQUE
Et toi, l'aveugle, chante!
Allez, chante-nous la mort de nos héros
Partis pour la guerre pour notre gloire
Et qui ne reviendront plus jamais

Télémaque charge Eurymaque qui s'esquive.

TÉLÉMAQUE, *poussant un cri de rage*
Rah! Chiens!

Télémaque s'effondre. Rires des prétendants.

TÉLÉMAQUE
Je ne sais pas lequel d'entre vous
Recevra d'Ulysse ou de Télémaque le premier coup

Mais sachez que je ne quitterai pas ce monde
Avant d'avoir lavé mes mains au moins une fois
Dans votre sang

EURYMAQUE
Ton heure sera la nôtre, petit

LIODÈS
D'ici là, laisse-nous en paix, veux-tu?

AMPHINOMOS
Il vaudrait mieux pour toi

EURYCLÉE
Il reviendra
Comme un aigle souverain
Il déploiera ses ailes
Dans les murs de cette maison
Et il se jettera sur vous
Sur vous tous

CHANT D'EURYCLÉE

Ζευ πατερ, οσ τε θεοισι και ανθροποισι ανασσεισ,
η μεγαλ εδροντησασ απ ουρανου αστερδεντοσ...

(chant 20, vers 112. . .)

CHANT DE PHÉMIOS

Ωσ φαθ ο δορμηθεισ θεου ηρχε φαινε δ αοιδην
Ενθεν ελον ωζ οι μεν ευσσελμων επι νηων...

(chant 8, vers ~~500~~. . .)
499

Scène 4 – Athéna

Entre Athéna.

ATHÉNA

Télémaque
Le moment est venu pour toi d'être un homme
Si tu veux qu'on parle de toi un jour
Comme aujourd'hui le poète chante
Les prouesses des héros

TÉLÉMAQUE

Athéna

ATHÉNA

Je suis là

TÉLÉMAQUE

Aide-moi, déesse, à lever ce bras
Que je défende notre nom

ATHÉNA

Laisse, laisse-les étaler leur insolence au triste soleil de ta maison
Et que ta ruse l'emporte sur leur arrogance

TÉLÉMAQUE

Dis-moi ce que je dois faire

ATHÉNA

Je suis venue pour te dire de partir
À la recherche de ton père
Si tu apprends qu'il est mort
Tu reviendras
Pour lui élever une tombe et le pleurer
Mais si tu apprends qu'il est vivant
Je reviendrai
Pour t'aider à rendre justice en cette maison

TÉLÉMAQUE

Oui et je tuerai ces chiens jusqu'au dernier!

ATHÉNA

Laisse, laisse!
Si tu es vraiment le fils d'Ulysse
Pars, va-t'en
Ce que l'esprit désire
Il le trouve sur son chemin...

LAËRTE

Ainsi à la tombée de la nuit
Télémaque prend le chemin du départ...

Et quand au matin l'aurore aux doigts de rose salua Ithaque
L'île était deux fois orpheline de ses princes.
Et la maison d'Ulysse livrée aux complots des prétendants
Qui méditaient le mariage de Pénélope
Et la mort de Télémaque

Scène 5 – Prière de Pénélope

Entre Pénélope.

PÉNÉLOPE
Non! Non! Non!

J'ai déjà perdu Ulysse
Et maintenant c'est mon fils qui s'en va!
Mon fils, mon fils
Mon dernier amour

Athéna, fille de Zeus, écoute-moi!
Souviens-toi aujourd'hui de mes dévotions
Rappelle-toi le vin versé pour toi!
Et ramène-moi mon fils!

ATHÉNA
Il reviendra
Je t'en fais le serment...
Laisse le sommeil engourdir ta peine

PÉNÉLOPE
Comment veux-tu que je dorme!
Sachant combien d'ennemis il a pour le tuer!

ATHÉNA
Celui qui est guidé par les dieux
N'a rien à craindre des hommes

Et ton fils comme Ulysse
A pour lui un guide puissant
Qui l'aime comme tu l'aimes

PÉNÉLOPE

Parle-moi d'Ulysse et dis-moi
Dis-moi s'il est vivant
Sur quelle mer, en quel pays
Il s'est égaré?
Je t'en prie dis-moi s'il m'a oubliée
Ou si c'est un mort que j'attends

ATHÉNA

C'est aux dieux qu'il appartient de décider
S'il te reviendra
Fais confiance au destin

PÉNÉLOPE

Mais ne vois-tu pas le supplice
De chaque jour qui passe sans nouvelles?
S'il revient
C'est une femme morte de chagrin qu'il retrouvera

ATHÉNA

Sois patiente
Laisse tes inquiétudes aux soins de la nuit
Le temps de tes longues veilles achève...

PÉNÉLOPE

Mais depuis vingt ans ma vie n'est qu'une interminable nuit!

Donne-moi de ses nouvelles
Que mon âme prenne un peu de force
Un peu de force...

Pénélope s'endort. Euryclée sort.

Scène 6 – Calypso

Entre Calypso.

CHANT DE CALYPSO

Σχετλιοι εστε θεοι, ζηλημονεσ εξοχον αλλον
οι τε θεαισ αγααστε παρ ανδρασιν ευναζεσθαι...

(Chant 5 - vers 118...)

LAËRTE

Elle dit...
Mais déjà Athéna la déesse aux yeux pers
Avait laissé Pénélope aux douceurs du sommeil
Pour s'envoler
Jusqu'aux rivages de cette île lointaine
Où habitait une nymphe à la nuque éclatante
La toute divine Calypso

ATHÉNA

Où est ton prisonnier?

CALYPSO

Il est là sur le rivage
Les yeux tournés vers le large

ATHÉNA

Les dieux m'envoient pour t'ordonner
De le libérer

LAËRTE
Il est là sur le rivage
Les yeux tournés vers le large

Calypso va se blottir contre Ulysse qui l'étreint.
Ulysse repousse Calypso.

CALYPSO
Que me vaut cette cruauté?

ULYSSE
Mon destin n'est pas de vivre ici
Mais de rentrer au pays de mes ancêtres
Et de mourir sous le soleil qui m'a vu naître

CALYPSO
C'est moi qui t'ai sauvé...
Quand tu m'es venu, seul, agonisant sur ton épave...
C'est moi qui t'ai accueilli, qui t'ai nourri
Moi qui t'ai ramené à la vie
Quand les dieux t'avaient abandonné

Ils s'embrassent.

ULYSSE
Regarde-moi
Je suis malade
Et la nostalgie n'a qu'un remède
Rentrer!
Si prodigue en charmes que tu sois
Rien ne pourra me guérir

CALYPSO
Reste avec moi
Je te donnerai un ciel clément

Une eau pure
Un soleil généreux
Et la jeunesse pour l'éternité

ULYSSE
Qu'est-ce que l'éternité
Si après chaque nuit passée avec toi
Le matin me ramène ici le cœur brisé?
Sans cesse le ressac et l'horizon me rappellent
D'où je viens et où je veux aller
Et je préfère revoir mon fils
À ma propre éternité

CALYPSO
La seule vie que tu as
C'est à moi que tu la dois

ULYSSE
Rien, Calypso
Ni tes charmes
Ni la tendresse de ton désespoir
Rien n'y fera jamais

CALYPSO
Alors ne sois qu'un homme!
Esclave de tes souvenirs!
Et retourne à tes naufrages!
Si seulement tu savais la douleur qui t'attend
Quand tu la verras vieillie
Vos deux corps brisés
Sans autre avenir que la poussière

ULYSSE
Peut-être...
Mais c'est auprès d'elle

Elle que les années tiennent en otage
Que je veux vivre et mourir...
Toute immortelle que tu sois
Tu ne comprendras jamais l'impatience des vivants

CALYPSO
Alors apprends-moi

ULYSSE
C'est impossible, déesse
Qui ne craint pas la mort
Ne peut comprendre le temps qui passe...
Pauvres dieux...
Vous vous amusez de nous
Vous avez fait de ce monde un cirque
Où vous nous obligez à combattre
Mais la mort, notre énigme, vous échappe toujours!
C'est pourtant elle qui nous fait exister
C'est elle qui ronge nos cœurs
Et les emplit de rage et de fureur

Elle l'embrasse.

CALYPSO
Si la mort te torture
Pourquoi ne pas y échapper
Puisque je te l'offre?

ULYSSE
Je t'en prie, donne-moi la liberté
Que j'aille mourir chez moi

Calypso sort une hache du fond de l'étendue d'eau.

CALYPSO

Alors prends cette hache
Et construis-toi un radeau
Et après un empire si tu veux
Et retourne pourrir chez toi

ULYSSE

Jure-moi que tu ne manigances rien contre moi

CALYPSO

Mon pauvre ami...
Les dieux te rendent la liberté
Et tu doutes encore de ton bonheur

ULYSSE

À quoi puis-je me résigner sinon au doute?
Fais-moi le serment de ton amitié
Et je partirai

CALYPSO

Viens avec moi une dernière nuit
Je t'y ferai mon serment
Et puis avec l'aurore tu pourras te lever
Bâtir ton radeau
Et enfin partir
Chercher ton destin sur les eaux noires

Scène 7 – Poséidon

Ulysse et Calypso s'étreignent.

CHANT DE CALYPSO

Σχετλιοι εστε θεοι, ζηλημονεσ εξοχον αλλον
οι τε θεαισ αγαασтε παρ ανδρασιν ευναζεσθαι...

(Chant 5 - vers 118...)

LAËRTE

Ulysse passa une dernière nuit auprès de l'immortelle déesse
Puis aux aurores
Tenant sa hache avec l'habileté du charpentier
Ulysse fabriqua le radeau qui devait le ramener chez lui
Et quand, au bout de quatre jours
L'ouvrage fut terminé
Calypso le laissa partir

Calypso sort.

LAËRTE

Le cœur content
Ulysse vogua dix-sept jours et dix-sept nuits

ULYSSE

Ah!

LAËRTE
La rage lui fouettait les tempes!

ULYSSE
Enfin

LAËRTE
Enfin son sang s'était remis en route!
Enfin il se mesurait à nouveau au monde!
Le dix-huitième jour enfin sur l'horizon
Il aperçut les rivages d'un pays

ULYSSE
Ithaque

LAËRTE
Comme un enfant heureux de revoir son père
Il contemplait cette terre

ULYSSE
Pénélope

LAËRTE
Mais bientôt il comprit que ce n'était pas Ithaque
Quand à travers le ressac des vagues
Qui s'écrasaient contre des récifs
Il entendit les mugissements de Poséidon
Aux cheveux ruisselant d'écume

POSÉIDON
Ulysse, homme orgueilleux
Où vas-tu sur les routes de mon royaume?

ULYSSE
Je rentre au pays!

POSÉIDON
Ton destin n'est pas d'échapper au malheur!

ULYSSE
Pourquoi t'acharnes-tu?
N'y a-t-il nul endroit où je puisse trouver la paix?

POSÉIDON
N'est-ce pas toi l'homme qui cherche la guerre?

ULYSSE
Qu'est-ce que tu veux?
Que veux-tu faire de moi?

POSÉIDON
Je veux que tu souffres pour avoir osé me défier
De la mer j'élèverai contre toi des murailles liquides
Qui te tiendront hors du monde pour l'éternité!
Jamais tu ne retrouveras les rivages de ton pays!

ULYSSE
Ô dieu! Aie pitié de l'homme errant!

LAËRTE
Rassemblant les nues
Poséidon démonta la mer!
Soufflant de toutes parts
Les vents s'emparèrent d'Ulysse

ULYSSE
Ô dieux!

LAËRTE

Ensemble s'abattaient, faisant rouler de grandes houles
L'Euros, le Notos, le Zéphyr hurlant, le brutal Borée

ULYSSE

Pitié!

LAËRTE

La brume noya le rivage!
Et les flots noyèrent les flots!
Et dans choc terrible
Une vague gigantesque
Brisa son radeau!

ULYSSE

Non!

LAËRTE

Alors Athéna la déesse aux yeux pers eut pitié de lui

ATHÉNA

Si les dieux t'ont donné à souffrir
Tu dois t'y résigner
Mais sache qu'en ce pays tu ne manqueras de rien
Car c'est la loi de secourir celui qui souffre

Scène 8 – Alkinoos

LAËRTE
Le couvrant d'un voile divin
Elle le fit s'échouer sur les rivages de cette terre nouvelle
Où l'accueillit Alkinoos le roi

CHANT DE NAUSICAA
τον νον χρη κομεειν προζ γαρ Διοζ εισιν απαντεσ
Εεινοι τε πτωχοι τε δοσισ δολιγν τε φιλη τε...
(Chant 6, vers 207...)

LAËRTE
Sans lui demander son nom, il lui prit la main
Sans lui demander son nom, il le fit asseoir
Puis après avoir mélangé le vin et sacrifié aux dieux
Sans lui demander son nom...
Il partagea avec lui le vin de l'hospitalité

ALKINOOS
Bois étranger
Qui que tu sois
Au survenant je dois l'hospitalité

ULYSSE
Ta générosité témoigne de ta puissance

ALKINOOS
Il faut craindre les grandeurs de ce monde
Si on ne sait en partager les joies

Libations.

ULYSSE
Ton vin est bon

ALKINOOS
Regarde comme le rubis y scintille
C'est le vin flambloyant de l'artisan
Si tu veux nous irons marcher ensemble dans mon jardin
Nous y profiterons de la paix dont jouit notre pays
Et je te ferai goûter d'une liqueur de poire
Que mes hommes sont à concocter

ULYSSE
Mon père aussi avait un jardin
Et comme toi il savait se réjouir des fruits qu'il donne

ALKINOOS
Heureux celui qui se penche sur la terre
Pour y tracer son sillon
Et malheur à qui vient détruire son ouvrage
En y apportant la guerre

ULYSSE
Je sais...

ALKINOOS
Maintenant, dis-moi
Où courais-tu, seul, sur l'onde noire?

ULYSSE
Retrouver mon pays
Ma femme et mon fils

ALKINOOS
Et quel est ce pays?

ULYSSE
Celui que mon père m'a appris à aimer
Et aujourd'hui rien ne m'est plus cher
Que d'y rentrer

ALKINOOS
Demain nous te ramènerons chez toi
D'ici là pour te distraire
Écoute avec moi ma fille chanter
Les exploits de nos héros
Qui abattirent l'orgueilleuse cité de Troie

Scène 9 – Troie

CHANT DE NAUSICAA

Αισα γαρ ην απολεσθαι, επιν πολιζ αμφικαλυψη
Δουρατεον μεγαν ιππον, οθ ειατο παντεσ αριστοι...

(Chant 8, vers 510...)

Ulysse pleure.

ALKINOOS

Étranger, tu pleures?

ALKINOOS

Aurais-tu, par hasard, connu ces hommes dont parle le poème?
As-tu perdu des parents, des amis, dans cette guerre?

ULYSSE

Si les mots de ta fille me troublent
C'est que je suis Ulysse, le fils de Laërte
Dont elle chante les prouesses!

Si tu veux je te ferai moi-même le récit
De tous les tourments que les dieux m'ont envoyés
Quand, après avoir remporté la guerre
Je rentrais triomphant
Vers le pays de mes pères

Il y a vingt ans

Deux rois sont venus en mon pays
Pour m'apprendre que les hommes de Troie
Avaient enlevé à notre peuple une femme

Nausicaa sort.

ULYSSE
Beauté entre les beautés
Pour l'enfermer dans leurs murs
L'humilier et la tourmenter...

Mis devant le choix de ne rien faire
Ou de me résigner à la guerre
Sachant combien, devant l'injustice
Nous n'avons pas le droit
Au risque d'y perdre notre humanité
De ne pas élever notre bras
Je me suis armé et j'ai quitté mon pays

Après dix ans à patauger
Dans un champ de bataille
Où les dieux nous tenaient
Pour laisser mourir les meilleurs de nos hommes
Dans ma ruse je renvoyai notre armée
Pour rester seul avec une poignée d'hommes
Cachés dans le ventre d'un cheval de bois
Que j'avais imaginé pour pénétrer
Entre les murs de cette cité maudite

Entre Athéna, suivie des compagnons d'Ulysse.

ULYSSE
Jaillissant du cheval au milieu de la nuit

Surprenant les guerriers endormis
Nous avons dévasté la cité
Et pillé ses richesses...

Après dix ans à patauger au milieu des cadavres
Nous étions ceux-là qui enfin
Vengions l'honneur
Mais nous étions surtout ceux qui
Loin de nos femmes et de nos enfants
Allions enfin rentrer au pays

De Troie le vent nous entraîna vers d'autres cités
Dont on pilla les trésors pour rentrer couverts de richesses.
Notre sang était noir et notre esprit troublé, oui, je l'avoue!

De lieux en lieux nous avons gonflé nos navires
D'or, d'argent et d'armes
Mais bientôt soumis à la vengeance et aux tempêtes
Nous avons perdu la plupart de nos hommes
Pour nous perdre nous-mêmes après
Et nous égarer dans une nuit noire
D'où je ne sais encore aujourd'hui
Si je suis sorti en échouant ici...

Ulysse est rejoint par ses compagnons.

ULYSSE
Périmède? Tu vois quelque chose?

PÉRIMÈDE
Non, maître
Ni ciel ni terre
Je ne vois rien

POLITÈS
J'ai peur maître

ELPÉNOR
Moi aussi j'ai peur
Mais j'ai faim surtout

EURYLOQUE
Partis à Troie chercher le soleil de la gloire
Ils sont morts de faim perdus dans une nuit de brouillard
Voilà ce qu'on dira de nous

ELPÉNOR, *souffrant*
Oh!

PÉRIMÈDE
Écoutez!

POLITÈS
Qu'est-ce que c'est?

ULYSSE
Il n'y a rien
Et c'est ce vide qui vous fait peur?
Nous avons vaincu des armées formidables
Et maintenant qu'il n'y a rien
Vous avez une peur plus grande
Que lorsqu'ils étaient des milliers devant nous
Mais il n'y a pas de danger!
Il n'y a que votre peur, compagnons...

ANTICLOOS
Depuis Troie nous allons de malheur en malheur, maître

EURYLOQUE
Combien d'hommes avons-nous sacrifiés
Pour charger ce navire de richesses
Dont on ne jouira peut-être jamais?

ULYSSE
Courage
Les nouvelles que la nuit nous donne sont fausses
Notre malheur n'est pas en route

ANTICLOOS
Nous sommes las de nous battre

ULYSSE
Patience
Que cette maudite brume se lève
Nous finirons bien par retrouver le chemin de notre pays

ANTICLOOS
Qu'est-ce que c'est?

PÉRIMÈDE
Nous nous sommes échoués

ULYSSE
Débarquons
Politès, apporte du vin pour nos hôtes

POLITÈS
Où sommes-nous?

PÉRIMÈDE
On ne voit rien

EURYLOQUE
En tout cas ce n'est ni la pierre ni l'odeur d'Ithaque

ULYSSE
Si des hommes habitent ici
Ils nous diront bien où les vents nous ont conduits

ELPÉNOR
Moi si je ne mange pas avant l'aube
Je vais mourir de faim

Ils sortent.

LAËRTE
Ils marchèrent longtemps à travers champs
Sans rencontrer âme qui vive
Puis à l'aube ils arrivèrent à l'entrée d'une caverne gigantesque
Entourée de vignes chargées de raisins mûrs
Trop mûrs

Il sort.

Scène 10 – Le cyclope

Entre Ulysse, suivi de ses compagnons.

PÉRIMÈDE
Écoutez!

ELPÉNOR
Oh... des moutons!
Des moutons
Le premier qui tue un mouton je lui cuisine un ragoût

ULYSSE
Laissez vos armes ici!
Nous ne sommes pas ici pour piller
Mais pour être accueillis

ULYSSE
Si les gens de ce pays ne récoltent pas le raisin
C'est que personne ici ne connaît le secret du vin

ANTICLOOS
Peut-être ne savent-ils rien du vin
Mais ils connaissent les fromages

ELPÉNOR
Des fromages?

ANTICLOOS
Des fromages énormes

ELPÉNOR
Ah mes amis!

EURYLOQUE
Prenons tout
Et retournons au bateau

ULYSSE
Non

EURYLOQUE
Mais Ulysse si ces bergers sont des barbares...

ULYSSE
Je veux savoir où nous sommes
Et ce qu'ils ont à nous offrir
Attendons-les

Les hommes se précipitent sur le fromage.

ELPÉNOR
En tous cas leur fromage est succulent

PÉRIMÈDE
Attention, quelqu'un vient!

ULYSSE
Nous allons enfin voir qui sont ces bergers...

LAËRTE
C'était Polyphème, le cyclope
Formidable monstre

Pareil à un rocher qu'on voit se détacher
Sur le sommet des montagnes

Entre Laërte devenu Polyphème, tenant bâton.

LAËRTE
Il entra dans sa caverne avec un troupeau de brebis
Puis en condamna l'entrée avec une pierre énorme

POLYPHÈME
Qui êtes-vous?
D'où venez-vous par les chemins de la mer?
Êtes-vous de ces pirates
Qui vont piller les pays étrangers?

ULYSSE
Nous revenons de Troie
Et nous sommes perdus

POLYPHÈME
Perdus?

ULYSSE
Nous revenions chez nous
Mais la mer nous a égarés
Sans doute Zeus nous a-t-il conduit ici

POLYPHÈME
Zeus...

ULYSSE
Nous avons froid et nous avons faim
Et te demandons asile pour la nuit

POLYPHÈME
Et vous mangez mon fromage...

ULYSSE
Nous nous sommes servis en qualité d'invités
Et nous avons apporté des présents
Comme le veut la loi de l'hospitalité

POLYPHÈME
La loi
Je ne connais pas la loi
Ici il n'y a pas de loi

ULYSSE
Ami
Nous venons ici en hôtes

POLYPHÈME, *grognant*
Hmm...

ULYSSE
Les dieux protègent les étrangers et ceux qui les reçoivent

POLYPHÈME
Tu viens de loin, étranger
Pour vouloir que je craigne les dieux!
Les cyclopes se moquent des dieux!
Nous sommes les seuls maîtres de cette île!
Toi, es-tu maître chez toi?

ULYSSE
Non je n'ai de royaume que mon navire...

POLYPHÈME, *menaçant Périmède*
Et où l'avez-vous mis, votre navire?

PÉRIMÈDE
Il est...

ULYSSE
Notre navire est... détruit

POLYPHÈME
Ah...
Et qu'avez-vous à m'offrir?

ULYSSE
Des cadeaux
Nous pensions que nous pourrions partager ton repas

POLYPHÈME
Avec mon fromage

ULYSSE
Oui

POLYPHÈME
Il est bon mon fromage

ELPÉNOR
Oui il est vraiment succulent

ULYSSE
Nous te remercions

POLYPHÈME
Mais il est triste mon fromage

ULYSSE
Il est triste?

POLYPHÈME
Il est triste, oui
Parce que moi c'est la viande que j'aime
La viande crue et bien fraîche

ULYSSE
Vous ne cuisez pas votre viande ici?

POLYPHÈME
Non!
Crue la viande
Toujours crue

Polyphème s'empare de Périmède.

PÉRIMÈDE
Ah!

ULYSSE
Arrête! Non!

PÉRIMÈDE
Non!

POLYPHÈME
Je vais t'engloutir, petit homme!

ULYSSE
Les hommes ne mangent pas les autres hommes!

POLYPHÈME
Les cyclopes oui!

PÉRIMÈDE
Non!

POLYPHÈME
Tes muscles, tes os, tes entrailles!
Je vais boire ton sang!
Et mâcher ton crâne!

Un peu salé, mais bon...
Qui sera le prochain...

POLITÈS
Ne le laisse pas nous dévorer, maître

ULYSSE
Prends-moi

POLYPHÈME
Han?

ULYSSE
Oui viens, prends-moi
Et laisse mes hommes en paix
Car si c'est moi que tu manges
Tu mangeras tout ce qui est dans ma tête

POLYPHÈME
Et qu'est-ce qu'il y a dans ta tête?

ULYSSE

Avoue que tu ne sais pas ce qu'il y a
Dans la tête des hommes
Qui ne mangent pas les autres hommes

POLYPHÈME

Je vais te l'arracher et te la faire éclater ta tête

ULYSSE

Si tu me manges tu ne connaîtras aucun des secrets de ce monde

POLYPHÈME

Quels secrets?

ULYSSE

Politès!

POLYPHÈME

Qu'est-ce que c'est?

ULYSSE

C'est du vin
Tiens, bois, pour arroser ton festin

POLYPHÈME

Du vin?

ULYSSE

Dans notre pays nous le buvons
Pour honorer les dieux et sceller l'amitié entre les hommes

POLYPHÈME

Hmm... Oui, donne encore

ULYSSE
En te l'offrant, j'espérais recevoir un accueil
Digne... de ta grandeur

POLYPHÈME
Encore

ULYSSE
Oui vas-y, bois

POLYPHÈME
Oui

ULYSSE
Bois

POLYPHÈME
Encore

ULYSSE
Oui

POLYPHÈME
Encore

ULYSSE
Tiens

POLYPHÈME
Encore!

Il s'empare de la bouteille.

POLYPHÈME
J'adore ça
Maintenant dis-moi ton nom que je puisse t'honorer
À mon tour d'un présent digne du tien!

ULYSSE
Mon nom?
Eh bien, je m'appelle Personne

POLYPHÈME
Personne?

ULYSSE
C'est le nom que mon père m'a donné...
Maintenant fais-moi le présent que tu m'as promis

POLYPHÈME
Eh bien...
Pour te remercier Personne
Je te mangerai en dernier
Après tous tes hommes
Tel sera mon présent
Ah ah!
Je mangerai Personne en dernier
Je te la mangerai, ta tête
Et tous les secrets de ta cervelle seront à moi
Tous les secrets de ta cervelle
Ah... ton vin est doux, Personne
Doux, doux...

Polyphème s'effondre sur le sol, endormi.

EURYLOQUE
Il est saoûl comme un cochon!
Tuons-le et partons!

ULYSSE

Si nous le tuons
Qui déplacera le rocher qui ferme l'entrée de la grotte?
Il ne faut pas le tuer
Lui seul peut ouvrir...

EURYLOQUE

Aussitôt qu'il ouvrira l'œil, c'est lui qui nous tuera

ULYSSE

Alors crevons-le-lui, son œil

POLITÈS

Mais comment, maître?

ULYSSE

Prenons son bâton et taillons-y une pointe

EURYLOQUE

Avec quoi?
Nous avons laissé nos armes
Comme tu l'as ordonné

ULYSSE

Nous la durcirons au feu!
Puis, avant, qu'il se réveille
Nous la lui planterons dans son œil!

POLITÈS

Oui

EURYLOQUE

On aurait mieux fait de ne jamais entrer ici

ULYSSE

Mais quel homme pourrait se vanter
D'avoir un jour triomphé d'un cyclope
S'il n'avait jamais mis les pieds dans l'ombre de cette grotte?

EURYLOQUE

Et que ferai-je de la gloire une fois mort?

ULYSSE

La gloire t'achètera une autre vie...

EURYLOQUE

Ulysse!
Partout nous t'avons suivi, quand tu nous as commandé...

ULYSSE

Et vous me suivrez encore
Jusqu'au jour du retour!
Même si je n'avais pour vous nourrir
Que l'eau salée et la colère
Je vous ramènerai!

Ulysse s'empare du pieu avec les compagnons sauf Euryloque.

ULYSSE

Bientôt nous ne gaspillerons plus notre vin
À le verser dans le ventre des monstres
Mais nous le boirons à la victoire de l'esprit humain

EURYLOQUE

Nos femmes verseront leurs larmes de veuves bien avant

ULYSSE

Peut-être
Peut-être les dieux ont-ils armé nos bras
Pour les amputer après
Peut-être rentrerons-nous le visage défait
Et l'esprit voilé par l'horreur des mondes
Où nous avons échoué
Mais nous avons le devoir de nous battre, ami
Et d'avoir tout tenté pour rentrer au pays!

Ulysse et les compagnons s'avancent vers Polyphème, le pieu en mains.

POLYPHÈME

Ah...

ULYSSE

Oui!

POLYPHÈME

Ah...

ULYSSE

Oui!

POLYPHÈME

Ah!

ULYSSE

Oui!

Ulysse et les compagnons enfoncent le pieu dans l'œil de Polyphème.

POLYPHÈME

Ah mon œil mon œil
Il m'a crevé mon œil
Je ne vois plus rien

Polyphème arrache le pieu et charge les compagnons d'Ulysse.

POLYPHÈME

Où es-tu?
Où es-tu Personne?
Je vais t'attraper et je vais te tuer
Je vais tous vous tuer
Et vous manger jusqu'au dernier morceau
Mon œil!

POLITÈS

Maître!

POLYPHÈME

Personne a crevé mon œil,
Père, père!
Aide-moi!

ULYSSE

Les brebis...
Chassez les brebis vers la sortie!
Et cachez-vous en vous agrippant à leur ventre!

Ils sortent.

POLYPHÈME

Poséidon, ébranleur du monde
Si vraiment je suis ton fils

Je t'en supplie
Venge-moi

Entrent Ulysse et ses compagnons.

ULYSSE

Invoque le nom de ton père autant qu'il te plaira, cyclope
Et s'il te demande qui t'a puni
Tu lui répondras que ce n'est pas Personne
Mais Ulysse, roi d'Ithaque
Et vainqueur de la guerre de Troie!

Nous sommes les maîtres de la mer!
Et nous la dominerons!
Allez!
Courage, compagnons!
Ramez! Ramez!

Scène 11 – Éole

LAËRTE
Durant sept jours et sept nuits
Ulysse et ses hommes voguèrent
Sur le dos de la mer vineuse
Le huitième jour enfin

Ils abordèrent l'île
Où naissent et meurent tous les vents du monde
Et dont le dieu Éole était le gardien

Laërte devient Éole.

ULYSSE
Aie pitié de moi
Poséidon, le dieu de la mer
Me condamne à errer
Pour avoir crevé l'œil de son fils
Je suis perdu
Et je perds mes hommes avec moi

ÉOLE
Que cherches-tu?

ULYSSE
Le chemin de notre pays

ÉOLE
Et quel est ce pays?

ULYSSE
Celui que mon père m'a appris à aimer
Une terre de pierres brûlantes et de champs ondoyants
Qui sent le lait des chèvres et l'huile des oliveraies

ÉOLE
Et qui en est le roi?

ULYSSE
Son roi en était Ulysse, le fils de Laërte

ÉOLE
Et pourquoi est-il parti?

ULYSSE
Pour venger l'honneur des Grecs

ÉOLE
Et ton père t'a laissé partir, Ulysse?

ULYSSE
Un père peut-il empêcher un fils d'embrasser
Tout ce qui le fera se sentir un homme à son tour?

ÉOLE
Et as-tu trouvé ce que tu cherchais?

ULYSSE
J'ai remporté la guerre

ÉOLE

Mais aujourd'hui tu te présentes à moi
Et tes conquêtes t'ont fait perdre
La plupart de tes hommes
Et la mer a englouti toutes tes richesses...
Quelle bête as-tu domptée, Ulysse?
Et que donneras-tu aux tiens
Quand tu entreras dans ton palais?
Quand ils se réjouiront tous de te retrouver
Et que tu t'approcheras de la grande table
Pour y déposer ton cœur vivant
Que verront-ils?
Quand ton père prendra ton cœur dans ses deux mains blanches
Embrassera-t-il un cœur vivant
Gonflé de cette lumière que tu allais chercher?
Ou trouvera-t-il un cœur maculé du sang de tes massacres?

ULYSSE

Ne me torture pas...

ÉOLE

Ou peut-être, dans ta ruse, sauras-tu bien leur cacher
La part d'ombre que tu ramènes?
Les frontières du monde sont sacrées, Ulysse
Et malheur à qui s'en approche de trop près

ULYSSE

Oui, j'ai vu vaciller les frontières du monde
Jusqu'à en perdre le visage respectable de l'homme
Mais aujourd'hui je veux retrouver la paix

ÉOLE

La paix
Si c'est vraiment là ton désir

Prends ce sac
J'y ai emprisonné tous les vents contraires
Qui pourraient empêcher ton retour...
Emporte-le avec toi
Et résiste à la tentation de l'ouvrir
Et dans neuf jours tu retrouveras ton royaume
Ton père et ta mère
Et la femme qui t'y attend...

ULYSSE

Dépliez la voile!
Nous rentrons!

Scène 12 – Tempête des vents

ULYSSE

Nous rentrerons pauvres peut-être
Mais riches de tout ce que nos yeux ont vu!

Nous leur dirons comment nos bras
Ont moissonné la mer
Pour revenir jusqu'à eux!
Nous leur dirons comment nous nous sommes battus
Contre la terre et le ciel!
Et nous leur dirons que jamais
Jamais nous ne les avons oubliés!

Allez! Fantôme de la patrie!
Montre-toi! Montre ton visage à tes fils!

LES COMPAGNONS

Ah!

ANTICLOOS

Je lève mon verre vide
À tous ceux que nous remplirons à la maison!
À Ithaque!

LES COMPAGNONS

À Ithaque

LAËRTE
Durant neuf jours et neuf nuits d'une main ferme
Ulysse tient la barre de son navire
Devant lui la mer bleue s'allonge en riant au soleil
Et la nuit les étoiles lui montrent un chemin clair et lumineux

Le dixième jour enfin...

CHANT DE PÉNÉLOPE
Οδυσσευσ
Οδυσσευσ

LAËRTE
Brisé de fatigue
Tiraillé entre son désir de rentrer et l'angoisse de son retour
Ulysse passe la barre à son fidèle Périmède
Pour se laisser aller aux douceurs du sommeil

EURYLOQUE
Regardez-le, comme il dort
Paisible et heureux de rentrer
Il ramène avec lui un trésor
Et nous, c'est les mains vides que nous rentrons
Anticloos! Approche un peu son sac
Que l'on sache combien d'or le dieu lui a donné

ANTICLOOS
Non?

EURYLOQUE
Ce qui est au maître est à nous

POLITÈS
Ne touchez à rien!
Ce sac est à lui!

EURYLOQUE
Nous avons partagé ses souffrances
Qu'il partage aussi ses biens!

POLITÈS
Il nous a dit de ne pas y toucher

EURYLOQUE
Je te promets qu'on fera le partage dans les règles

POLITÈS
Vous ne toucherez à rien avant qu'il ait lui-même décidé

Euryloque met une lame sous la gorge de Politès,
Elpénor une main sur sa bouche.

EURYLOQUE
Si tu pousses un son je t'arrache l'oreille
Donne le sac!

Euryloque s'empare du sac et s'apprête à l'ouvrir.

PÉRIMÈDE
Terre!
C'est Ithaque!
Je vois les feux sur la grève!
Nous arrivons!

ELPÉNOR
Allons réveiller Ulysse!

EURYLOQUE
Pas avant d'avoir ouvert ce trésor

POLITÈS
Ulysse!

Ulysse se réveille.

ULYSSE
Euryloque!
Non!

LAËRTE
C'était de grandioses et cruelles forces
Sifflant de partout vers tous les chemins du monde
Des vents sans mesure
Mêlant et démêlant tout de leurs gorges profondes
Vents de laines noires et griffes de sables
Rafales de suie prodigieuses
Creusant des tombeaux dans la mer
Et disloquant les corps des hommes qui tentaient
En hurlant de s'arracher à l'arrachement

Et de tenir vie
De tenir vie
De tenir vie

Et quand le lendemain
Le calme revint sur le navire
C'était pour pleurer la mort des amis perdus
Sacrifiés aux tourmentes de la tempête

Un temps.

ULYSSE
Regardez-le
Les vagues l'ont avalé, broyé, englouti

Pendant que dans notre pays
Tous les siens l'attendent
Sans savoir s'il est mort ou s'il est vivant
Sans savoir si nous ne sommes plus qu'un souvenir
Qu'ils doivent oublier
Ou si nous sommes encore là
Otages de nos égarements

EURYLOQUE
De nos égarements
Et de celui qui les appelle!

ULYSSE
Qui a laissé s'échapper les vents?

EURYLOQUE
Et qui nous a caché son secret pour nous provoquer?

ULYSSE
Lequel d'entre nous rage, et ruse, et rame, et se bat plus que moi
Pour faire arriver le jour du retour?

ANTICLOOS
Ulysse

ULYSSE
Puisse notre courage ne jamais fléchir, Euryloque
Et la force de notre amitié nous ramener jusqu'à nos mères

POLITÈS
Et jusqu'à nos femmes

POLITÈS et ANTICLOOS
Jusqu'à nos femmes, oui!

PÉRIMÈDE
Et à nos enfants

ELPÉNOR
Mais je n'ai ni femme, moi, ni enfants
Tout ce que j'ai, c'est la soif et la faim

ULYSSE
Quand on y sera, Elpénor
Je te promets un banquet
Digne de la puissance de ton estomac

ELPÉNOR
Oh maître...

ULYSSE
Au soir du retour vous entrerez dans mon palais
Peignés, lavés, robe et manteau frais
Et des femmes aux bras blancs rempliront vos verres
En couvrant de leur voix la plus douce
Le grondement de la mer
Et nous boirons en bénissant le sort qui nous a réunis
Et une deuxième jeunesse viendra battre à nos tempes
Quand nous leur raconterons qui nous sommes devenus

ANTICLOOS
Mais qui serons-nous devenus, maître?
Aujourd'hui, devant vous, je sais qui je suis
Mais devant eux?
Serai-je accueilli en héros?
Ou ne verront-ils en moi qu'un esprit desséché par le soleil
Et tourmenté par les horreurs que mes yeux ont vues
Quand mon bras armé frappait le ventre des femmes

ULYSSE

Ils verront que tu as vécu, Anticloos
Que tu es allé mettre le feu dans le nid des aigles
Pendant qu'eux rampaient et se cramponnaient au sol
Tout le reste s'éparpillera dans le vent

ANTICLOOS

Puisse le ciel te donner raison

Scène 13 – Circé

POLITÈS
Qu'est-ce que c'est?

PÉRIMÈDE
Terre!
C'est une île, couverte de fleurs, à perte de vue!

ELPÉNOR
À moi! À moi!

Ils sortent sauf Ulysse et Euryloque.

ULYSSE
Attends! Attendez!

EURYLOQUE
Si cette terre est bonne
Et qu'on nous y accueille selon la coutume
Tu ne me verras plus rembarquer avec toi
Maître...

Ils sortent.

LAËRTE
Aussitôt débarqués
Affamés et assoiffés

Ulysse et ses hommes s'enfoncent dans une forêt profonde
Pour y chasser les animaux sauvages
Mais c'est bientôt à un festin étrange
Qu'ils sont conviés
Car au cœur de cette obscure forêt était le palais de Circé

Entre Circé.

ULYSSE
Toi qui chantes
Femme ou déesse
Qui es-tu?

CIRCÉ
Toi, qui es-tu, beau voyageur?
D'où viens-tu?

ULYSSE
Je suis Ulysse, le fils de Laërte
Je suis en route pour Ithaque
Et je cherche mes hommes

CIRCÉ
Ils sont chez moi
Et ils sont ici pour y rester

ULYSSE
Je suis leur maître
Si je leur commande, ils viendront

CIRCÉ
Vas-y, ordonne!

ULYSSE

Compagnons, je suis là!
Périmède! Politès! Elpénor! Anticloos!

CIRCÉ

Celui qui pénètre chez Circé
Oublie tout du monde des hommes
Jusqu'au désir d'y revenir
Tout disparaît
Comme les traces de tes pas dans le sable
Qui s'évanouiront au souffle du vent...

ULYSSE

Que leur as-tu fait?

CIRCÉ

Ils sont avec mes femmes
À savourer les charmes de mon hospitalité
Tiens, prends, ensemble, nous boirons le vin de l'amitié

ULYSSE

Ton vin n'est pas celui de l'amitié
Si tu as changé mes hommes en pourceaux
Libère-les
Ou c'est moi qui te ferai oublier qui tu es

CIRCÉ

Beau conquérant
Je connais ton désir de goûter aux charmes de ce monde...
Depuis combien d'années n'as-tu pas mordu aux lèvres d'une femme?

Il l'embrasse.

ULYSSE

J'ai déjà une femme

CIRCÉ

Toi qui ne crains pas la colère des dieux
Craindrais-tu l'amour d'une déesse?

ULYSSE

Relâche mes hommes!

CIRCÉ

C'est pour les libérer de leur bonheur
Que tu refuserais mon lit?
Allez, bois
Et comme eux
Tu oublieras tout des souvenirs qui te hantent...

ULYSSE

Rien ne me fera oublier!

CIRCÉ

Alors bois...

ULYSSE

Je veux voir mes hommes!
Fais-moi le serment que tu ne feras rien contre nous
Après je boirai

CIRCÉ

J'aime ta façon de ruser...
Puisque tu veux tes hommes
Autant que moi je te veux
Tu peux les appeler...

ULYSSE
Compagnons!
Compagnons!

Entrent les compagnons d'Ulysse.

POLITÈS
Ulysse?

ULYSSE
Politès!

PÉRIMÈDE
Viens, maître!

ELPÉNOR
Il y a à boire et à manger!

ANTICLOOS
Et des femmes!

EURYLOQUE
Il est ici le banquet auquel tu nous conviais

CIRCÉ
Je sais quels tourments vous avez endurés
Mais je vous promets que Circé prendra soin de vous
Jusqu'à ce que vous retrouviez la force et le courage
Que vous aviez en quittant votre pays
Et puis si c'est votre volonté, vous repartirez
Je vous en fais le serment

Ulysse boit.

CHANT DE CIRCÉ ET DE SES SERVANTES

Μηκετι νυν θαλερον γοον ορνυτε οιδα και αυτη
ημεν οσ εν ποντω παθετ αλγεα ιχθυοεντι...

(Chant 10, vers 457...)

LAËRTE

Circé remplit sa promesse
Et dans ce palais merveilleux où l'ambre et l'or
Coulaient comme le miel
Ulysse et ses hommes restèrent à jouir des plaisirs
Du festin, de l'amour et des chants

Dans les ivresses de la volupté
Libérée des jours douloureux de l'errance
Leur souffrance d'hommes s'apaisait et s'évanouissait
Et comme une mort lente, les caresses des femmes
Endormirent leurs corps et leur âme

Et tu oubliais le jardin d'où tu étais, mon fils
Et le corps ensoleillé de ton pays
Disparaissait devant celui, éclatant
De la femme qui se donnait à toi

Puis un matin sur le rivage
Tu vis ensevelie dans le sable
L'épave de ton navire échoué

ULYSSE

Dieux...
Depuis quand suis-je ici?

CIRCÉ

Le temps ne signifie rien ici
N'as-tu pas tout ce qu'un homme peut désirer?

ULYSSE

J'ai une femme, un fils et un pays

CIRCÉ

Moi aussi je te donnerai un fils
Pour qui tu pourras fonder un nouveau royaume
Reste avec moi
Je t'offre un pays que tu ne perdras plus

ULYSSE

Rien ne saurait me faire oublier
Ceux que j'ai laissés

CIRCÉ

Et si eux t'avaient oublié?
Si tu trouvais un autre homme dans le lit de ta femme?
Et un fils qui te renie?
Et si ton peuple ne te reconnaissait plus comme son roi?

ULYSSE

Peut-être...
Peut-être mon corps ne s'éteindra-t-il pas dans un lit familier
Peut-être mon fils ne sera-t-il pas là pour pleurer ma dépouille
Ou recueillir mes dernières volontés
Peut-être
Mais si je ne suis pas sûr de survivre à mon retour
Je sais que mon destin est de rentrer au pays
Et même si la terre d'Ithaque s'était dissoute dans la mer
Toute mon âme n'est qu'un sillon
Pour guider mes pas vers elle

CIRCÉ

Tu ne resteras pas ici malgré toi

Réveillez-vous, compagnons du grand conquérant
Il est temps de quitter ce jardin
Et de retrouver les rigueurs de l'errance

POLITÈS
Nous partons, maître?

ELPÉNOR
Mais Ulysse!

ANTICLOOS
Il y a du pain et du vin pour une éternité ici

EURYLOQUE
Pourquoi les dieux nous ont offert ce jardin de délices
Sinon pour qu'on y reste!

ULYSSE
Vous êtes libres, amis!
Pour moi je pars

POLITÈS
Et par quel chemin?

CIRCÉ
Pour le savoir il faudra que votre maître meurt
À la tentation qui le tient
De vouloir tout conquérir
L'orgueil d'Ulysse
il faut qu'il change

ULYSSE
Donne-moi un navire que je parte

CIRCÉ

Emporte avec toi ce vin
Tu navigueras au souffle de Borée
Et quand tu aborderas les portes de l'enfer
Tu iras au royaume des morts
Et tu l'offriras au devin Tirésias
En empêchant tous les autres de boire
Tous
Même s'ils te supplient
Sinon tu ne rentreras jamais à Ithaque

Circé sort.

ULYSSE

Je rentrerai

Scène 14 – Les portes de l'enfer

ANTICLOOS
Maître, je t'en prie

EURYLOQUE
Qui est jamais revenu du royaume des morts!

ULYSSE
J'irai, seul

POLITÈS
J'irai avec toi

ULYSSE
Non

POLITÈS
Et si tu ne revenais pas?

ULYSSE
Si je ne reviens pas
Vous reprendrez la mer
Et vous ramerez, compagnons

EURYLOQUE
Sur quel rocher veux-tu aller encore te briser
Et nous avec toi?
Qu'est-ce que tu cherches, Ulysse?

ULYSSE
Le chemin du retour!

EURYLOQUE
Et s'il n'y avait pas de retour!

ANTICLOOS
Si les dieux avaient voulu que l'on rentre
Nous serions déjà revenus!

ELPÉNOR
Ici il y une terre pour nous
Un jardin, du pain, du vin, des femmes!

EURYLOQUE
Et toi tu nous offres de tout sacrifier
Pour l'ombre d'un souvenir?

ULYSSE
Le jardin de Circé n'est pas le jardin de mon père!

EURYLOQUE
Ce n'est pas l'amour de ton pays
Qui te fera vaincre la mort!

ULYSSE
Alors je vivrai
Dans la mémoire des hommes

EURYLOQUE
Mais tu ne reviendras pas!
Et quand nous rentrerons, si un jour nous rentrons
Personne ne voudra croire qu'Ulysse

Le fils de Laërte, était un héros!
Ils parleront d'un fou, obsédé par sa gloire
Un fou prêt à sacrifier ses amis
Parce qu'il se croyait l'égal des dieux!

ULYSSE

Je choisis d'être un homme, Euryloque!
Et je le crie à la face du monde!
Je suis Ulysse, roi d'Ithaque!
Et je rentre chez moi!

Que celui qui porte encore la mémoire de son pays me suive
Et qu'il oublie tous les mirages de cette nuit
Où nous nous sommes échoués
Pour les autres
Croupissez au bercail à vous engraisser
Jusqu'à ce que l'on vous égorge
Comme les porcs que vous serez devenus

Ulysse sort, suivi de ses compagnons.

Scène 15 – Anticlée

LAËRTE

Alors comme un fleuve
Qui roule furieux vers la mer
Tu t'es remis en route, homme tourmenté
Acharné à te battre

CHANT DU CHŒUR DES ÂMES MORTES

Τιφθ αυτωσ δυστηνε λιπων φαοζ ηελιοιο
ηλυθεσ, οφρα ιδη νεκυασ και ατερπεα χωρον...

(Chant 11, vers 93...)

LAËRTE

Et comme un vieillard aveugle tâtonne dans sa pauvre chambre
À la recherche d'une fenêtre qui jetterait un peu de lumière sur sa nuit
Tu entres dans le royaume des morts...

Entre Ulysse, suivi d'Anticlée.

LAËRTE

Près de toi s'approchent les âmes des défunts
Hommes, femmes, vieillards chargés d'épreuves
Qui te supplient de les faire boire

ANTICLÉE
Mon fils, mon petit...

ULYSSE
Mère... Tu es morte...

ANTICLÉE
L'inquiétude est venue à bout de mes forces, mon enfant
T'attendre, t'espérer encore vivant
Parmi les îles fauves et les océans noirs
Dans des voyages que je t'avais moi-même mis en tête!
Mon vieux cœur n'a pas pu...

ULYSSE
Et mon père?

ANTICLÉE
Ton père vit aux champs
Et reste là
Le corps courbé sur son jardin

ULYSSE
Dieux...

ANTICLÉE
Et toi mon fils
Pourquoi fuis-tu la clarté du soleil
Pour descendre dans ce lieu de misère?

ULYSSE
Je suis venu pour retrouver
Le chemin de notre pays

ANTICLÉE

As-tu goûté aux mystères de ce monde
Dont nous avons tant rêvé?

ULYSSE

Oui, un à un ils me sont apparus
Les mystères de mon enfance...
J'ai fait route avec le vent dans la lumière ardente
J'ai vu des démons bondir sur les vagues
Et franchi des horizons que personne n'avait même imaginés
Mais aujourd'hui je suis perdu
Parle-moi d'Ithaque
Parle-moi de ma femme et de mon fils
Ont-ils cessé de croire à mon retour?

ANTICLÉE

Pénélope est toujours là!
Fidèle et pleine de courage
Chaque nuit à t'attendre
Et chaque jour à résister aux ambitieux
Qui occupent son palais
Et menacent de prendre ta place!

ULYSSE

Non

ANTICLÉE

Donne-moi à boire mon fils
Que je revive à mon tour
Et que je puisse t'enlacer
Donne-moi de ce vin

Ulysse, pourquoi hésites-tu?

ULYSSE
Mère...
Si je te fais boire c'est moi que je perds
Au devin seul je dois le verser
Si je veux connaître le chemin de mon retour

ANTICLÉE
Alors adieu...

ULYSSE
Non mère, attends!
Pourquoi me fuis-tu?

ANTICLÉE
Telle est la loi de l'enfer mon fils

ULYSSE
Laisse-moi t'enlacer

ANTICLÉE
Quand la mort nous prend
L'âme quitte le corps
Et l'ombre s'envole et fuit comme un songe insaisissable

ULYSSE
Non mère, attends!

ANTICLÉE
Mais toi, va vers le jour
Retourne à la lumière

ULYSSE
Attends
Parle-moi de mon fils

ANTICLÉE
Ton fils est pareil à toi Ulysse
Il est le fils d'une ombre

ULYSSE
Que veux-tu dire?

ANTICLÉE
Tout homme est né d'une ombre

ULYSSE
Non mère attends!
Ô dieux!
Si c'est un crime d'être né quelque part
Et d'aimer son pays
Alors faites-moi périr
Mais si je mérite de vivre, je vous en prie
Donnez-moi le chemin qui me ramènera à mon pays!

Scène 16 – Tirésias

Laërte devient Tirésias.

TIRÉSIAS
Ne vois-tu pas que c'est ton voyage lui-même
Qui est devenu ton pays!

ULYSSE
Tirésias, je t'en supplie

Il lui donne à boire.

ULYSSE
Donne-moi le chemin de mon retour!

Tirésias boit.

TIRÉSIAS
Tu t'es bâti un palais de mémoire dans les décombres de tes jours
Jamais tu ne retourneras dans ton pays Ulysse
Car ce pays n'existe pas
Sinon dans ton souvenir
Et nul homme n'a jamais franchi la frontière
Qui le ramènerait à ce qui est révolu?

ULYSSE
Donne-moi le chemin
Donne-moi le chemin je la franchirai

TIRÉSIAS

Quel charme pourrait guérir un homme
De la nostalgie où il a sombré?

Non Ulysse...
Seule la mort mettra un terme à ton errance
Si tu veux te libérer
Toi et tes hommes
Va vers l'île des sirènes
Et laissez-vous charmer par leurs voix
Celui qui aborde cette terre
Celui-là mourra
Son corps desséché
Dévoré par ces ensorceleuses
Mais il périra dans la volupté d'avoir tout goûté
Des chemins du monde

ULYSSE

Non

TIRÉSIAS

Si tu as la force de résister à leurs charmes
Alors seulement
Tu franchiras la frontière
Qui te ramènera chez toi

ULYSSE

Je passerai sans m'arrêter
Et nous reverrons Ithaque!

Il sort.

Scène 17 – Chant des sirènes

LAËRTE
Et d'entre les morts tu te relèves
Homme errant
Et tu te jettes à la mer
Et tu continues d'avancer

PÉRIMÈDE
Ulysse!

POLITÈS
Ulysse est revenu!

ULYSSE
Dénouez les amarres!
Et ramez!

ANTICLOOS
Où allons-nous, maître?

ULYSSE
Droit devant

LAËRTE
Encore une fois tu jettes tes hommes
Sur la vague

Et les eaux s'enflamment
Du feu que tu rallumes dans leurs bras

ULYSSE
Nous approchons de la frontière, amis
Mais avant il nous faut naviguer près d'un rivage
Où la mort nous attend tous compagnons
Si nous y abordons

EURYLOQUE
Et c'est là que tu nous emmènes?

ULYSSE
C'est le chemin du retour, Euryloque!
Jette-toi à la mer si tu n'as plus le courage d'avancer
Pour les autres, vous vous boucherez les oreilles avec de la cire
Pour ne pas entendre le chant des femmes qui veulent nous y attirer

ANTICLOOS
Et toi que feras-tu?

ULYSSE
Vous m'attacherez au mât, bras et jambes

POLITÈS
Et si tu ne leur résistais pas?

ULYSSE
Je résisterai

ANTICLOOS
Mais si tu nous accablais pour qu'on te délivre?

ULYSSE

Alors vous redoublerez mes liens

ELPÉNOR

Mais pourquoi?

ULYSSE

Je veux tout connaître des chemins du monde

Les compagnons attachent Ulysse au mât.

LAËRTE

Puis au soleil de midi
Au-dessus d'une mer étincelante
Où le vent est tombé
Tu entends leurs voix
Qui montent pour te faire périr
Et tu les laisses s'emparer de ton esprit

CHANT DES SIRÈNES

Δευρ αγ ιων πολυαιν Οδυσευ, μεγα κυδοζ Αχαιων
υνα καταστησον ινα νωιτερην οπ ακουσισ

(Chant 12, vers 183...)

Souffrance et volupté du héros.

ULYSSE

Ah! Ah! Ah!

PÉRIMÈDE

Maître!

POLITÈS

Ulysse!

ANTICLOOS
Donne-lui à boire
Donne-lui à boire!

Pénos amène à boire. Périmède le fait boire.

ULYSSE
Combien étions-nous
Quand nous avons pris la mer pour Troie?
Partis, jeunes, la rage au ventre
Pour venger l'honneur d'une femme?

Je ne sais pas si aujourd'hui Hélène
Savoure les fruits de la liberté
Que nous lui avons rendue
Mais je sais que de tous ces guerriers que nous étions
Il ne reste plus que nous, amis
Désolés au milieu de la mer insensée
Pendant que dans notre pays
Des hommes menacent la vie de notre propre reine

POLITÈS
Pénélope?

ULYSSE
Votre reine et la mienne!

Scène 18 – Charybde et Scylla

ULYSSE

Tournant dos à notre maudit voyage
Nous avons enfin mis le cap sur la frontière

Au bout de trois jours et de trois nuits
À naviguer dans une brume aveuglante
Où le ciel nous avait fait sombrer
Nous avons pénétré dans un détroit
Gardé par les créatures immondes
De Charybde et de Scylla

Les deux monstres étaient là
Menaçant de nous engloutir

D'un côté les gigantesques écueils de rocs
D'une chienne à six têtes
Qui avançait pour fracasser notre navire

Et de l'autre une gueule immense
Qui s'ouvrait en faisant bouillonner les flots
Pour nous attirer et nous avaler dans les profondeurs
De son gouffre

LES COMPAGNONS

Ulysse

ULYSSE

Un vent violent soufflait en rafales

Qui nous foudroya tous
Pour briser notre navire

Accroché à un morceau d'épave
Tenant bon de toute ma rage
Je vis avec horreur les deux monstres
M'arracher un à un les derniers de mes amis

LES COMPAGNONS
Ulysse

ULYSSE
Qui tombaient en hurlant mon nom
Pendant neuf jours
Je dérivai, seul
Accroché à mon épave
Pour m'échouer le dixième jour
Sur l'île de la déesse Calypso
Qui me promit l'immortalité
Que j'ai refusée
Pour retrouver le chemin de mon pays

LAËRTE
Nous te ramènerons dans ton pays mon fils
Nous te ramènerons
Dans ce pays
Que ton père t'avait appris à aimer

Laërte étreint Ulysse.

CHANT DE NAUSICAA
Ηαιρε Ξειν ινα και ποτ εον εν πατριδι γαιν
ανισι εμευ δτι μοι προτι ζοαγρι οφελλεισ

Fin de la première partie.

Scène 19 – Ithaque

CHANT DE PÉNÉLOPE

Οδυσσευσ
Οδυσσευσ

LAËRTE

Encore une fois d'entre les morts
Tu te relèves, guerrier errant
Et ce matin-là
Sur le rivage de ton pays
Ivre comme je suis ivre
Tu émerges de ta nuit
Et tu ne reconnais rien autour de toi

Ni les rochers qui surplombent la grève
Ni les épaisses forêts de chênes et d'oliviers
Ni les longs sentiers
Où, enfant, tu allais chasser aux côtés de ton père

Ainsi Athéna, la déesse aux yeux pers, l'avait voulu

Entre Athéna, portant haillons et bâton.

ULYSSE

Sur quel rivage ai-je encore échoué?
Ce maudit voyage ne s'achèvera donc jamais?

ATHÉNA
Pourquoi te plains-tu, ami?
Les fureurs de la mer auraient-elle mis
Ton esprit en déroute?

Regarde ces rochers où tu es venu te percher déjà
Ton regard tendu vers le large
Et cette oliveraie où si souvent tu as couru
Et ce sable à tes pieds
Et cette eau où tu t'es baigné
En as-tu connus de semblables
Dans les voyages où tu t'es égaré?

ULYSSE
Ithaque! Ithaque!
Mon pays! Mon pays!
Ah déesse!
Puisses-tu maintenant me laisser
Retrouver la paix en mon royaume!

ATHÉNA
La paix?
N'es-tu pas revenu ici
Pour reprendre tes droits en ta maison?

ULYSSE
Mais le moyen de tuer tant d'hommes
À moi seul!

ATHÉNA
Tu ne seras pas seul
Je serai là
Et ton fils avec toi

ULYSSE
Mon fils

ATHÉNA
Tu le retrouveras bientôt

LAËRTE
Elle dit
Et invitant son bien-aimé à ruser
La déesse fit tomber ses cheveux
Rida sa peau
Et lui donna les traits d'un vulgaire mendiant
Afin que personne ne pût le reconnaître
Puis elle l'envoya chez Eumée
Le fidèle serviteur
Eumée qui depuis vingt ans vivait seul
Avec le souvenir de son maître

Scène 20 – Eumée

Laërte devient Eumée.

EUMÉE

Assieds-toi, étranger
Et bois
Puis tu me raconteras qui tu es
D'où tu viens
Et après quels égarements tu arrives ici

Libations.

ULYSSE

Que les dieux te bénissent
Puisque tu me reçois si bonnement

EUMÉE

Je te donne ce que je peux, étranger
Un peu comme mon maître m'aurait donné
S'il avait vieilli dans son pays
Mais il est mort loin d'ici

ULYSSE

Parle-moi de ton maître
J'ai roulé sur toutes les mers
Il se peut bien que je l'aie croisé au hasard de ma route
Comment s'appelait-il?

EUMÉE
Ulysse, le fils de Laërte

ULYSSE
Ulysse

ULYSSE
Ami sache que je déteste
Celui qui raconte des histoires
Pour en tirer profit
Mais je te le dis et te prie de me croire
Il n'y a pas longtemps
Sur les rivages de la Phéacie
J'ai croisé un homme de ce nom
Ton maître est vivant et ne sera pas long à revenir
À la fin de ce mois ou au commencement de l'autre
Ton maître sera de retour

EUMÉE
Mais qui es-tu, étranger, pour parler ainsi?

ULYSSE
Mon nom ne te dirait rien
Il est celui de tous et de personne...

EUMÉE
Non...
Ulysse est mort
On ne sait où
D'on ne sait quoi
Ne laissant que tristesse derrière lui

ULYSSE
Demain j'irai au palais d'Ulysse
Pour parler à Pénélope
Et lui dire ce que je sais

EUMÉE

Non!

ULYSSE

Si les nouvelles que je lui apporte
Peuvent lui donner un peu à espérer...

EUMÉE

Non!
Si tu entres dans cette maison
Ils te battront
Comme ils ont battu tous les autres avant toi
Reste ici! Si tu tiens à ta vie
Reste avec moi!
Reste...

ULYSSE

Que les dieux t'aiment autant que moi je t'aime, Eumée
Toi qui m'as retiré de la misère errante
Et puisse le jour arriver qui verra aussi
La fin de l'exil du fils de Laërte

Un temps.

ULYSSE

Parle-moi de ce Laërte
Est-il toujours vivant à attendre son fils?

EUMÉE

Oui...
Mais c'est anéanti par son absence qu'il passe ses jours
Les yeux mouillés, penché sur son jardin
Et chaque jour il demande aux dieux
Que la vie l'abandonne

Scène 21 – Retour de Télémaque

ULYSSE
On vient te voir Eumée...

Entre Télémaque.

TÉLÉMAQUE
Ils ont voulu me tuer!
Ils ont voulu me tuer!
Ils étaient une vingtaine
Cachés
À m'attendre l'arme au poing!
Dis-moi, Eumée
Ces chiens ont-ils eu raison de ma mère?
S'est-elle résignée à leur céder la place de mon père?

EUMÉE
Non Télémaque
Elle est toujours là
À attendre

ULYSSE
Seigneur...

TÉLÉMAQUE
Qui es-tu, étranger?
D'où viens-tu?

ULYSSE
Je suis un pauvre errant
Que les dieux ont poussé loin de sa patrie

EUMÉE
Offre lui l'hospitalité seigneur
Un peu comme ton père l'aurait fait

ULYSSE
S'il m'est permis de te demander, seigneur, dis-moi
Pourquoi tolères-tu l'arrogance de ces hommes?
Ah! Si j'avais ta jeunesse
Si j'étais le fils d'Ulysse
J'aimerais mieux mourir assassiné dans ma maison
Que d'endurer l'outrage!

TÉLÉMAQUE
Que veux-tu que je fasse
Quand ma maison est envahie par des hyènes
Qui menacent ma vie et l'honneur de ma mère?

ULYSSE
Prie les dieux qu'ils t'inspirent une juste fureur...

TÉLÉMAQUE
Va prévenir ma mère
Que je débarque chez toi sain et sauf
Et que j'arrive
Le temps de trouver le moyen de rentrer
Et que personne ne sache que je suis revenu

Eumée sort.

Scène 22 – Ulysse retrouve Télémaque

ATHÉNA

Il est là
Il est temps, Ulysse

TÉLÉMAQUE

Qui es-tu, étranger?
Es-tu un ancien roi aujourd'hui déchu
Ou un de ces dieux qui nous viennent
Déguisés en gueux
Pour sonder la valeur des hommes?

ULYSSE

Je ne suis pas un dieu
Je suis comme toi
De la même chair que toi
Je suis celui que tu attendais...
Celui pour qui tu as tant souffert
Depuis vingt ans

TÉLÉMAQUE

Étranger
Si tu es venu ici pour te moquer...

ULYSSE

Regarde-moi!
Télémaque...

TÉLÉMAQUE
Non tu n'es pas Ulysse

ULYSSE
Il ne viendra pas ici d'autre Ulysse que moi

TÉLÉMAQUE
Non tu n'es pas mon père

ULYSSE
Oui, je suis ce père qui t'a quitté
Avant même que tu n'aies appris à marcher
Et à prononcer ton nom
Je me souviens de cette nuque
Je me souviens l'avoir tenue dans ma main
Comme si je tenais un pays entier
Télémaque, j'ai tissé dans l'absence le dessin de ton visage

TÉLÉMAQUE
Et aujourd'hui tu me reconnais

ULYSSE
Tu habites en moi
Ton reflet est mon reflet
Que nulle absence ne peut abolir

Ils s'embrassent.

ULYSSE
Mon fils...

TÉLÉMAQUE
Tu es revenu

ULYSSE

Oui
Et le temps est venu pour nous deux
De reprendre nos droits en notre maison

TÉLÉMAQUE

Elle est bourrée d'insolents
Qui jurent chaque jour
Que jamais Ulysse ne reviendra

ULYSSE

Aujourd'hui le temps est venu de nous venger

TÉLÉMAQUE

Qui d'autre que moi sait que tu es là?

ULYSSE

Personne

TÉLÉMAQUE

Et ma mère?

ULYSSE

Personne

TÉLÉMAQUE

Pourquoi te cacher à celle qui t'attend depuis vingt ans?

ULYSSE

Je veux sonder la droiture de chacun
Et tâcher de savoir
Quel est celui qui me respecte et celui qui me trahit!
Dis-moi leur nombre et leur nom

Que je sache combien ils sont
Et ce qu'ils valent

CHANT DE MÉLANTHO ET EURYCLÉE

... η φευγειν οσ κεν τανατον και κηραζ αλυξη
αλλα τιν ου φευξεσθαι οιμαι αιπυν ολεθρον

(Chant 22, vers 66...)

Entre les prétendants.

TÉLÉMAQUE

À leur tête il y a Eurymaque, prince de Samé
Débarqué ici avec une cinquantaine d'hommes
De Doulichion il y a Antinoos
Le prince des arrogants
Et d'Ithaque il y a Liodès, Amphinomos
Et une trentaine d'autres petits seigneurs
Qui ne rêvent qu'à prendre ta place

J'ai toujours entendu vanter ton courage et ta ruse
Mais comment deux hommes peuvent se battre
Seuls contre une bande armée jusqu'aux dents?

ATHÉNA

Demande-toi plutôt si la fureur d'une déesse suffira
Il me tarde de me battre autant qu'à vous...
Demain Ulysse entrera dans son palais
Comme un gueux
Et si les prétendants l'insultent
L'invectivent ou le frappent
Il faudra Télémaque que ton cœur
Se résigne à le voir maltraité sans broncher

TÉLÉMAQUE

Mais Ulysse est le roi de ce pays!

ULYSSE

Tu les laisseras faire!
Et lorsque Athéna nous fera signe
Nous leur servirons le festin qui leur est dû

TÉLÉMAQUE

Oui et nous les exterminerons jusqu'au dernier

Ils sortent.

Scène 23 – Télémaque au palais

Entrent Euryclée et Mélantho.

EURYMAQUE
Mes amis...
Le dieu qui nous a enlevé Télémaque
Nous l'a maintenant ramené
Vivant

ANTINOOS
Où est-il?

EURYMAQUE
Il se cache chez Eumée

LIODÈS
Lui vivant
On n'en finira jamais

EURYMAQUE
Il ira dire au peuple
Que nous lui avons tendu un piège
Et alors que fera le peuple?

ANTINOOS
Laissons-le sortir de son trou
Et tuons-le

LIODÈS

Oui

AMPHINOMOS

Interrogeons d'abord les dieux
S'ils se déclarent pour nous
Je serai le premier à frapper
Mais s'ils disent non
Alors je suis pour qu'on s'abstienne

Entre Pénélope.

ANTINOOS

Et moi je te dis qu'il faut s'en débarrasser
Avant qu'il ne monte le peuple contre nous!

PÉNÉLOPE

Antinoos!

ANTINOOS

Je suis tout à vous, ma reine...

PÉNÉLOPE

Tu complotes...
Aurais-tu oublié que c'est ici, dans ma maison
Que ton père a trouvé refuge et la protection d'Ulysse
Quand le peuple demandait sa tête?
Et maintenant tu veux assassiner son fils!

ANTINOOS

Moi? Pénélope?

EURYMAQUE
Personne n'en veut à la vie de ton fils
Moi aussi autrefois Ulysse a pris soin de moi
Et aujourd'hui Télémaque est mon ami

PÉNÉLOPE
Eurymaque...

Entre Télémaque.

TÉLÉMAQUE
Qu'est-ce que je vois?

PÉNÉLOPE
Télémaque

TÉLÉMAQUE
Les fougueux prétendants sont toujours à faire leur cour à ma mère?

PÉNÉLOPE
Mon enfant
As-tu des nouvelles de ton père?

TÉLÉMAQUE
Non, mère
Rien, aucune trace

TÉLÉMAQUE
Mais pour vous, prétendants
Sachez que j'ai assez enduré le spectacle
Que vous m'avez donné depuis toutes ces années
Aujourd'hui regardez-moi
Je suis seul devant vous et maître de cette maison

Alors soit vous déposez votre haine et cessez de me nuire
Soit, puisque vous en rêvez, vous me tuez sur-le-champ

EURYMAQUE

Oh!
Notre jeune Télémaque serait-il devenu un homme?

ANTINOOS

Mais oui!
Il me semble voir deux ou trois brins de barbe à son menton!

LIODÈS

De la barbe?

EURYMAQUE

Le temps serait-il venu que les choses s'accomplissent, Pénélope?
Vous savez, tous, comme moi, ce que signifie la maturité de
/Télémaque?
J'ai entendu dire que dans le secret de leur chambre
La veille de son départ pour Troie
Ulysse fit promettre à sa femme de prendre un nouvel époux
S'il n'était revenu le jour où son fils serait devenu un homme...

PÉNÉLOPE

Traîtresse!

Pénélope frappe Mélantho.

MÉLANTHO

Ah!

EURYMAQUE

Il est temps d'accomplir ta promesse, ma reine

AMPHINOMOS
Oui. Il est temps de donner un nouveau roi à Ithaque

PÉNÉLOPE
Si vous saviez comme je suis impatiente
De faire mon choix

Pénélope sort.

EURYCLÉE
Il reviendra
Oui, il reviendra
Il rôde déjà autour des murs de cette maison
Et se prépare à y entrer avec la mort
Avec la mort

Euryclée sort.

Scène 24 – Ulysse en son palais

ULYSSE

La charité pour un pauvre vieillard
Que le malheur a égaré

Entre Ulysse.

IROS

Qui es-tu, vieillard?
Viens-tu ici pour quémander?

ULYSSE

Je viens pour qu'on m'accueille
Avec le respect dû aux étrangers

IROS

Eh bien entre

LIODÈS riant

Ah ah ah

TÉLÉMAQUE

Sois le bienvenu, étranger
Tu es ici chez toi
Va quêter en paix

ULYSSE
Puissent les dieux réaliser
Tout ce que ton cœur désire

ANTINOOS
Pourquoi laisses-tu entrer ce quémandeur de croûtons?

ULYSSE
Donne, ami
Toi qui as la mine d'un prince
Tu es riche et tu dois me donner
Car c'est justice
Moi aussi autrefois j'avais ta puissance
Et des serviteurs et une maison
Et j'ai donné sans compter
Aux plus pauvres des hommes
Et à ceux qui comme moi aujourd'hui
Errent loin de leur patrie
Donne ami

ANTINOOS
Ôte-toi de ma vue, chien!
À force de nourrir les vauriens
On finira par crever de faim!

ULYSSE
Tu n'as pas le cœur de ton visage
Toi qui reçu dans la maison d'autrui
Me refuses le vin que toi-même tu gaspilles

ANTINOOS
Tu parles trop, gueux!
Tiens, c'est pour toi, allez bois!

Il lui lance son verre au visage. Rires des prétendants.

ULYSSE

Si pour le pauvre aussi il est des dieux
Que la mort frappe Antinoos avant qu'il prenne femme
Mes larmes sont prêtes pour le deuil...

Rires des prétendants.

ANTINOOS

Tais-toi, pouilleux!
Et demande plutôt aux dieux quels crimes ils te font expier
Puisqu'ils te condamnent à errer
Ou va voir ailleurs avant que je ne te sorte d'ici!

IROS

Ne reste pas là vieillard!
Ici c'est ma place!

ULYSSE

Qu'ai-je fait contre toi?
Le seuil peut nous accueillir tous les deux!

IROS

Quoi, tu veux faire la loi?

ULYSSE

Ne me provoque pas

IROS

Allez viens!
Misérable, viens!

ANTINOOS
Oh! Mais regardez ce que les dieux nous offrent ce soir
Pour célébrer le retour de notre prince!
Un combat de gueux!

Coup vicieux d'Iros. Rires des prétendants.

ANTINOOS
Écoutez-moi
Celui qui gagne sera de tous nos festins
Et l'autre on lui coupera la langue
Pour la donner en pâture aux chiens

LIODÈS
Ou on la fera rôtir à la broche!

ULYSSE
Je ne suis pas venu ici pour me battre

EURYMAQUE
N'aurais-tu de courage que pour quémander?

ULYSSE
Jurez-moi que vous ne ferez rien pour l'aider
Et que je n'aurai pas à craindre un coup dans le dos!

EURYMAQUE
Ne crains rien, étranger
Personne ici ne te frappera
C'est Télémaque qui te reçoit!

ANTINOOS
Allez!
Battez-vous!

LIODÈS
Et que le sang coule!

AMPHINOMOS
Allez!

LIODÈS
Allez! Iros! Débarrasse-nous de lui! Allez!

Combat. Ulysse renverse Iros.

CHANT DE PHÉMIOS
Η ταχα Ιροσ Αιροσ επισπαστον κακον εξει
(chant 18, vers 53...)

Ulysse vainc Iros et le traîne jusqu'à la porte.

ULYSSE
Reste assis à ta place
Et garde-toi de mépriser les pauvres et les étrangers
Misérable que tu es!

EURYMAQUE
Puissent les dieux réaliser tous tes désirs, étranger!

ANTINOOS
Grâce à toi ce gouffre sans fond n'ira plus mendier!

LIODÈS
Oui

AMPHINOMOS
Et que la fortune te revienne un jour

ULYSSE

Et vous
Gardez-vous d'être insolents
Et de présumer de vos forces
Comme ce pauvre homme l'a fait
D'un jour à l'autre tout peut changer
Moi aussi, j'ai connu la richesse
Et l'arrogance de la jeunesse
Et j'aurais pu compter parmi les hommes heureux
Si l'orgueil ne m'avait entraîné dans les excès
Qui m'ont aujourd'hui condamné
À l'exil et à la pauvreté
Car il y a une justice
Qui nous vient des dieux
Et quand vous pensez que jamais
Le châtiment que vous méritez ne viendra
Il arrive
Comme un rapace fondant sur sa proie

Ulysse boit.

EURYMAQUE

Tu parles beaucoup, étranger
Mais prends garde...
Si vraiment il y a une justice
Un jour viendra peut-être
Où un autre mendiant
T'écrasera à son tour

Rires des prétendants.

ULYSSE

Tu te crois grand et puissant, Eurymaque

Mais c'est que tes rivaux sont lâches
Mais si Ulysse, ton roi
Revenait debout devant toi
La porte de son palais te semblerait soudainement
Bien étroite pour fuir sa maison

EURYMAQUE
Disparais!
Ou alors c'est moi qui te ferai mettre en morceaux!

AMPHINOMOS
Amis! Amis, je vous en prie!
Laissons cet étranger aux soins de Télémaque
Puisqu'il a voulu l'accueillir
Et que l'on aille dormir

EURYMAQUE
Tu as raison
Il ne faudrait pas abuser de ton hospitalité
Munificent Télémaque → généreux

TÉLÉMAQUE
Sortez, oui
On en profitera pour purifier le palais!

ANTINOOS
Oh que la barbe le rend insolent

LIODÈS
C'est que c'est un homme, maintenant!

Ils sortent.

ULYSSE
Va dire à ta mère qu'un homme qui a connu Ulysse
Demande à lui parler

Télémaque sort.

MÉLANTHO
Vas-tu nous encombrer jusqu'à la nuit
Ou vas-tu sortir, pouilleux?

ULYSSE
Regarde-moi
Tu me vois ce soir sale et couvert de haillons
Mais hier j'étais riche et respecté...
Qui sait ce que demain te réserve?
Qui sait si demain les chiens ne mangeront pas tes entrailles
Et qui sait si demain ton maître ne sera pas de retour?

MÉLANTHO
Lâche-moi!

Mélantho lui crache au visage.

MÉLANTHO
Je te ferai payer pour ça

ULYSSE
Ton heure sera la mienne
J'ai de quoi payer!
→ je suis de taille à t'affronter.

Mélantho sort.

Scène 25 – Ulysse rencontre Pénélope

Entre Pénélope, suivie d'Euryclée.

PÉNÉLOPE
Qui es-tu étranger?
D'où viens-tu?
Dis-moi qui sont tes parents, quelle est ta patrie?
Est-ce la crainte qui te rend muet?

ULYSSE
Tu peux me demander ce que tu veux, reine
Mais je ne parlerai pas ici de ma patrie
Et de ceux que j'y ai aimés
Me les rappeler est trop douloureux
Et il n'est pas bon de se lamenter dans la maison d'autrui
J'aurais trop peur que tu croies
Que c'est le vin qui me fait larmoyer

PÉNÉLOPE
Tu peux parler sans crainte
Je peux comprendre ta souffrance
Moi à qui les dieux ont tout enlevé
Sinon le souvenir de ce que j'ai perdu

ULYSSE
Sache seulement que j'arrive de la terre de Crète
Et que c'est là au palais de mon père

Que j'ai vu Ulysse
Oui je l'ai vu
Alors qu'il faisait route vers Troie

PÉNÉLOPE
Donne-moi une preuve de ce que tu dis
Dis-moi...
Quels vêtements il portait?

ULYSSE
Vingt ans ont passé depuis qu'il est venu
Mais je le revois et je me souviens qu'il portait...
Il portait... un manteau rouge pourpre
Fermé d'une agrafe dorée
Où on voyait un chien de chasse
Qui serrait un faon entre ses pattes
Je ne sais si Ulysse portait ces vêtements en partant d'ici
Ou s'il les avait reçus d'un ami
Car il avait beaucoup d'amis

PÉNÉLOPE
Sois béni pour l'avoir reçu
C'est moi qui avait cousu ces habits dont tu parles
Pour lui donner quand il est parti
Pour cette guerre dont il ne reviendra jamais

ULYSSE
Il reviendra, douce reine
J'ai appris par des marins, il n'y a pas longtemps
Que si son navire et ses compagnons ont disparu
Lui est toujours vivant
Et il reviendra
Les dieux m'en sont témoins

À la nouvelle lune, ou au commencement de l'autre
Ulysse se tiendra à l'endroit même où nous sommes

PÉNÉLOPE
Mon cœur est trop usé pour encore l'espérer
Il ne reviendra plus
Pour toi, sache que tu trouveras ici sympathie et respect
Pour avoir su l'accueillir il y a vingt ans

Ulysse baise la main de Pénélope.

PÉNÉLOPE
Euryclée!
Lave les pieds de cet homme et prépare-lui un lit
Et demain il faudra lui donner le bain et l'onction
Pour qu'il prenne part au festin

Euryclée lave les pieds d'Ulysse.

EURYCLÉE
J'ai vu venir ici beaucoup de malheureux
Mais jamais un homme dont la voix, les mains, les pieds
Ressemblaient autant à ceux de mon maître

ULYSSE
Tous ceux qui nous ont vus de leurs yeux, l'un et l'autre
Disent que nous nous ressemblons beaucoup en effet

EURYCLÉE
Où est-il mon maître?
Dans une maison où des servantes
Le maltraitent et l'humilient?
Où est-il déjà sur le chemin de son retour?
Cette cicatrice, je connais cette cicatrice!

ULYSSE

Tais-toi...

EURYCLÉE

Mon enfant c'est toi

ULYSSE

Tais-toi, nourrice, tais-toi

EURYCLÉE

Mais je ne te reconnaissais pas

Ulysse la saisit à la gorge.

ULYSSE

Ne parle pas
Sinon je n'aurai pas de pitié
Même pour toi

EURYCLÉE

Mais maître...

ULYSSE

Fais ce que je te dis!

Euryclée sèche les pieds d'Ulysse.

PÉNÉLOPE

Dis-moi, étranger
Toi que les souffrances ont rendu sage, conseille-moi

À la veille de son départ pour la guerre
J'ai promis à Ulysse de prendre un nouveau mari

S'il n'était revenu
Le jour où son fils serait devenu un homme...
Ce jour est arrivé
Je dois me résigner à quitter ma maison
Pour chasser la meute d'affamés qui l'occupe
Je songe à leur proposer une épreuve...
Celui dont les bras seront assez puissants
Pour tendre l'arc d'Ulysse
Celui-là je le suivrai et abandonnerai ma maison

Un temps.

Je le fais pour mon fils
Pour Télémaque

ULYSSE
Tu es sage, ma reine
Ne tarde pas à ouvrir ton concours

PÉNÉLOPE
Puissent les immortels te donner raison...
Bonne nuit, étranger

Elle sort.

Scène 26 – Mélopée

Ulysse erre dans la grand-salle du palais.

CHANT D'EURYCLÉE

Ζευ πατερ, οσ τε θεοισι και ανθροποισι ανασσεισ,
η μεγαλ εδροντησασ απ ουρανου αστερδεντοσ...

(chant 20, vers 112...)

Entre Athéna.

ATHÉNA

Tu ne dors pas Ulysse?
N'es-tu pas enfin chez toi?
N'as-tu pas retrouvé ta femme et ton fils?

ULYSSE

Et quand j'aurai tué tous ces hommes
Et que leurs parents crieront vengeance
Il me faudra encore tuer leurs frères, et leurs neveux?
Et une fois le massacre accompli
Il faudra encore obtenir le pardon et effacer le sang
Pour que nous puissions vivre ensemble de nouveau

ATHÉNA

Ta colère est aussi ma colère
Et ma colère est juste

ULYSSE

Ta colère n'a pas de bornes!
Je me méfie de toi, déesse
Tu ne vis pas parmi nous
Tu demandes la guerre
Mais qui retiendra mon bras?
Comment m'arrêter à temps?
Pourquoi ne pas déposer les armes
Et épargner à Ithaque le sang de ses fils?

ATHÉNA

Ulysse pourrait-il vivre
Sans être roi d'Ithaque?

ULYSSE

Cette nuit ne finira donc jamais?

ATHÉNA

Tu ne dormiras pas sans être vengé

ULYSSE

Dormirai-je dans un palais souillé?
J'ai versé déjà trop de sang pour un seul homme
Et rentrant enfin chez moi
C'est du sang qu'on me réclame encore!
Et des mensonges encore
Tu me donnes la ruse et les armes, déesse
Quand me donneras-tu la paix?

ATHÉNA

Demain

Elle sort.

Scène 27 – L'arc

Entrent Mélantho, Euryclée et les prétendants.

CHANT DE MÉLANTHO ET EURYCLÉE

… η φευγειν οσ κεν τανατον και κηραζ αλυξη
αλλα τιν ου φευξεσθαι οιμαι αιπυν ολεθρον

(Chant 22, vers 66…)

Télémaque plante six haches sur la table du banquet.

LAËRTE

Le lendemain avec l'aurore
Les prétendants reviennent dans la grand-salle du palais
On immole de grands béliers
Et les chèvres les plus grasses
Dont on brûle les entrailles
On verse le vin dans le cratère
Pour le banquet singulier
Qu'on allait leur servir

EURYMAQUE

Pourquoi ces haches?

AMPHINOMOS

Qu'est-ce que ça veut dire, Télémaque?

ANTINOOS
Que trames-tu, jeune homme?

LIODÈS
Tu veux nous mettre à la broche
Et nous sacrifier aux dieux?
Ah ah ah!

Rires des prétendants. Entre Pénélope, un arc à la main.

PÉNÉLOPE
Votre attente tire à sa fin, mes princes
Puisqu'il me faut choisir l'un d'entre vous
Et que mon cœur ne se décide pas
Je vous propose une épreuve
Voici l'arc d'Ulysse...
Celui qui réussira à le tendre
Par la force de ses bras
Et à tirer une flèche à travers ces haches
Celui-là je l'épouserai et le suivrai où qu'il aille
Et il deviendra roi de ce pays

TÉLÉMAQUE
Allez, mes seigneurs!
Tendez-moi cet arc que nous voyions un peu votre force!
Qui sera le premier?

AMPHINOMOS
Je me souviens de cet arc
Personne d'autre qu'Ulysse n'arrivait à le courber
C'est impossible...

TÉLÉMAQUE
Si personne ici
N'a la force de se mesurer à celle de mon père
J'essaierai moi
Si je réussis, ma mère restera ici avec moi
Et vous quitterez cette maison!

Télémaque essaie de tendre l'arc.

TÉLÉMAQUE
Ah!

ANTINOOS
Laisse-nous user des armes, petit!

TÉLÉMAQUE
Puisque vous êtes plus forts que moi, allez-y

Amphinomos s'avance et essaie.

AMPHINOMOS
C'est impossible
Je ne pourrai jamais

ANTINOOS
N'insiste pas, ami

AMPHINOMOS
C'est trop injuste!

ANTINOOS
À qui le tour?

LIODÈS

À moi.

Liodès essaie de tendre l'arc, en vain. Il le lance à Télémaque.

LIODÈS

Non, c'est impossible!
Si moi je ne le fais pas, personne ne le fera
Je te demande justice, Pénélope!
Je t'ai apporté des moutons, cinquante moutons
Et cent chèvres de ma maison

EURYMAQUE

Eh bien retournes-y dans ta maison
Dormir avec tes chèvres!

ANTINOOS

Si ta mère ne t'a pas mis au monde
Pour tirer de l'arc
Il y a d'autres chefs ici qui le feront!

Antinoos s'empare de l'arc, essaie de le tendre.

ANTINOOS

Ah!

EURYMAQUE

Allez courage Antinoos!

ANTINOOS

Cet arc est en pierre!
C'est un complot! Tu triches!

EURYMAQUE
Tu as perdu Antinoos! Sois bon joueur!
À mon tour...

Eurymaque s'empare de l'arc, essaie à son tour, en vain.

EURYMAQUE
C'est une ruse...
Personne ne peut tendre cet arc!

PÉNÉLOPE
Personne?

ULYSSE
Je voudrais bien essayer moi aussi
Et voir si j'ai gardé la force que j'avais à votre âge...

ANTINOOS
Le vin t'a saoulé, le vieux?

EURYMAQUE
Tiens-toi tranquille sans te frotter à plus jeune que toi!

PÉNÉLOPE
N'insultez pas l'hôte de mon fils!
Cet étranger m'a confié être de sang noble
Et je lui accorde le droit d'essayer autant qu'à vous
S'il réussit je lui donnerai des habits neufs
La robe et le manteau
Et le ferai reconduire où son cœur le souhaite

ANTINOOS

Où ça?
Jusque dans ton lit?

Rires des prétendants.

TÉLÉMAQUE

Mère
Laisse-nous je t'en prie...

Pénélope sort.

TÉLÉMAQUE

Prends, étranger

Entre Athéna. Ulysse tend l'arc.

ANTINOOS

Qui es-tu, étranger?

Ulysse tire et fait passer la flèche à travers les haches.

ULYSSE

Vous savez maintenant qui je suis

EURYMAQUE

Ulysse!

AMPHINOMOS

Ulysse

ANTINOOS

Ulysse...

ULYSSE

Depuis vingt ans vous buvez le vin de ma maison
Aujourd'hui l'heure est venue
De vous servir le festin qui vous est dû
Il est temps de les régaler, tous, Télémaque
Chacun d'entre eux
Et jusqu'au dernier

Il est temps de les faire payer

Scène 28 – La vengeance

EURYMAQUE
Attends Ulysse!
Quel est notre crime?
Nous avons traité ta femme comme une reine...

ULYSSE
Chiens, charognes
Vous avez espéré ma mort

EURYMAQUE
Mais nous n'avons tué personne

ULYSSE
Vous avez voulu me voler mon royaume!
Chiens!

ANTINOOS
Si tu tires sur les hommes d'Ithaque
Si tu nous tues
C'est toi que les vautours vont dévorer

Ulysse tire sur Antinoos et le terrasse.

EURYMAQUE
Arrête, Ulysse!
Si tu es revenu pour te venger

C'est fait maintenant
C'est lui qui nous a entraînés, tous!
C'est lui qui a comploté pour tuer ton fils!
Lui mort, tu es vengé

ULYSSE
Chiens pouilleux!
Je serai vengé lorsque vous aurez cessé d'aboyer!
Tous!

Ulysse, Télémaque et Athéna se battent contre les prétendants.

CHANT DE PHÉMIOS
Ωσ φαθ ο δορμηθεισ θεου ηρχε φαινε δ αοιδην
Ενθεν ελον ωσ οι μεν ευσσελμων επι νηων...
(chant 8, vers 500...)

ULYSSE
Va dire à ta mère
Que son roi est revenu

Télémaque sort, suivi d'Athéna.

Scène 29 – Pénélope retrouve Ulysse

Entrent Télémaque et Pénélope, suivie d'Euryclée.

TÉLÉMAQUE
Pourquoi restes-tu plantée là loin de lui?

PÉNÉLOPE
Est-ce vraiment là l'homme
Que j'attends depuis toutes ces années?
Si vraiment c'est lui
Il est des signes cachés
Que nous sommes seuls à connaître
Et nous nous reconnaîtrons
Laisse-nous

Télémaque sort.

ULYSSE
Les voyages d'où je viens
M'ont peut-être enlevé
Le visage de l'homme
Mais jamais ils ne m'ont ôté ce cœur
Que je voudrais m'arracher aujourd'hui
Pour que tu me reconnaisses

PÉNÉLOPE
Si c'est vraiment Ulysse qui se dresse devant moi
Pourquoi hier s'est-il présenté

Comme un de ces voyageurs perdus
Sans prendre dans ses bras
La femme qui l'attend depuis vingt ans?

De quels voyages arrives-tu, étranger?
Qu'as-tu fait durant toutes ces années?

ULYSSE
J'ai pensé à toi

PÉNÉLOPE
Ils sont beaucoup d'hommes
À penser à moi
Pour prendre place dans mon lit

ULYSSE
Chaque jour j'ai pensé à toi
Chaque fois
Quand la faim tenaillait mes entrailles
Et que la soif me faisait délirer
Quand la mer voulait m'engloutir
Et que je m'accrochais à la terre
Et quand la terre me rejetait à la mer
Et que le ciel me plantait sa foudre sur le crâne
Et que je perdais la tête
Au milieu des épaves
Et des cadavres de mes amis
Chaque fois
Je me suis accroché à toi
Tout mon espoir dans le souvenir
Que j'avais de toi
Regarde-moi Pénélope
Je suis là sans masque

C'est moi, Ulysse
Le voyage est achevé
Il n'y a pas de ruse
Il n'y aura plus de ruse

PÉNÉLOPE

Pas de ruse?
N'es-tu pas ce même Ulysse
Dont les poètes venus de partout
Nous ont tant vanté l'art du mensonge?

Tout n'est que ruse à Ithaque depuis vingt ans
Ruse et mensonge
Pour s'arracher aux ruses et aux mensonges

ULYSSE

Bien...
Puisque ta maîtresse se refuse à moi
Nourrice
Fais-moi apporter un lit
Et je dormirai seul

PÉNÉLOPE

Fais apporter de ma chambre
Le lit en bois qu'Ulysse avait construit de ses mains

ULYSSE

Déplacer mon lit?
Ce lit que j'ai bâti de mes mains
Autour de l'olivier qui s'élevait dans la cour
Et autour duquel j'ai bâti notre chambre et notre maison?
Si un autre que moi en a coupé la racine
Alors je maudis celle qui l'aura laissé faire!

PÉNÉLOPE
Il n'y a pas une heure
Où je n'ai espéré cet instant

PÉNÉLOPE
Ulysse
Ulysse

Ils s'embrassent.

ULYSSE
Pénélope

LAËRTE
Alors...
Comme deux hirondelles qui fendent la lumière
Et s'amusent en virevoltant dans l'azur
Les deux amoureux retrouvés s'abandonnent enfin
Aux vertiges de l'amour pendant une longue nuit
Et l'aube, fille du matin, les eût trouvés sanglotant
Si Athéna, la déesse aux yeux pers
N'eût décidé de reculer le terme de la nuit
En retenant l'aurore dans l'Océan
Afin qu'Ulysse et Pénélope
Puissent savourer les douceurs du sommeil

Puis quand vint le matin...

PÉNÉLOPE
Dis-moi
Parle-moi de ces pays que tu as vus

ULYSSE
Je te raconterai

PÉNÉLOPE
Dis-moi quel piège, quelle prison t'a retenu?

ULYSSE
Je te raconterai

PÉNÉLOPE
On dit que tu as dévasté des villes
Et des pays entiers?
On dit que tu t'es battu avec des dieux
Et que tu es descendu aux enfers?
On dit que tu as dormi
Dans le lit des immortelles?

Il l'embrasse.

PÉNÉLOPE
Raconte-moi maintenant

Ulysse s'éloigne.

PÉNÉLOPE
Où vas-tu?

ULYSSE
Je veux que mes champs, mes vignes
Mes arbres, mes bêtes et mes hommes
Sachent que leur maître est de retour
Et voir si mon père saura me reconnaître comme son fils

Scène 30 – Épilogue – Laërte

LAËRTE
Tournant dos aux miracles de sa nuit
Ulysse laissa derrière lui sa femme
Pour se rendre aux champs
Où vivait
Désormais exilé du monde
Laërte son vieillard de père

ULYSSE
Je suis là, père
Je suis revenu

LAËRTE
Tous mes vœux t'appellent, mon fils
Mais je ne t'espère plus
Il n'y a pas de pays pour toi

ULYSSE
Je suis là
J'ai tué tous ceux qui avaient envahi notre maison

LAËRTE
Ce sont eux qui t'ont tué mon fils
Et avec toi tous ceux de ta maison
Et tous les habitants de notre village

Tu as perdu la guerre mon fils
Et aujourd'hui des pères pleurent leurs fils

ULYSSE
Je suis revenu
Je suis là pour me battre!

LAËRTE
Que des dieux aient pu laisser accomplir de tels actes
Je n'y comprends rien
Peut-être nous ont-ils tous abandonnés!

ULYSSE
Je suis revenu!

LAËRTE
Mais je sais que lorsque la fureur des hommes s'ébranle
Rien ne peut les détourner

ULYSSE
Arme-toi
Nous allons nous battre

LAËRTE
Non, on ne se bat pas ici mon fils
Tout ce que l'on combat c'est l'ennui
Il fait froid, il neige
Et comme on n'a plus l'âge de se faire des amis
On ne sort plus
Et on attend
Seul dans une mauvaise chambre
Pauvre et misérable comme la guerre

Entre Télémaque.

TÉLÉMAQUE
Ils arrivent! Ils ne sont pas loin!
Armons-nous!

ULYSSE
Regarde-nous, père!
Nous sommes là
Réunis

LAËRTE
Ton fils aussi est tombé mon fils

TÉLÉMAQUE
Ils arrivent!

ULYSSE
Télémaque
Quand viendra le moment de combattre
Souviens-toi du courage des hommes de ta race

Ulysse et Télémaque sortent.

LAËRTE
Arrête Ulysse, arrêtez!

Silence.

LAËRTE
Hommes
Hommes d'Ithaque
Je vous en prie
Quand viendra l'heure au milieu de la nuit
Quand vous entendrez vos frères

Quand vous les entendrez marcher sur vous
Ne tirez pas
Ne versez plus de sang
Et que les dieux versent sur la mémoire des hommes
L'oubli de leurs frères et de leurs sœurs qui sont tombés

Mémoire

Tu te joues de nous
Ta lumière est aussi un aveuglement
Moi aussi je suis aveugle car souvent tu m'as aveuglé!

Ulysse, mon fils laisse-moi à ma nuit
Je ne veux plus me souvenir

Le passé est un long cortège sanglant
Dont nous sommes les oriflammes
Incendies dérisoires dans la forêt du monde...

CHANT DU CHŒUR DES FEMMES

... η φευγειν οσ κεν τανατον και κηραζ αλυξη
αλλα τιν ου φευξεσθαι οιμαι αιπυν ολεθρον

(Chant 22, vers 66...)

Fin de la deuxième partie

Deschaillons – Ithaque
Saint-André-de-Kamouraska – Dublin – Montréal
Juin 1998 – janvier 2000